Weekly Mail

下巻

藤田宗久

東京図書出版

Weekly Mail　下巻◇目次

（上巻）

（下巻）

10

日常生活

エンスト対応策

20〜30代の男女1000人を対象にした「仕事に対するモチベーション調査」で、現在の仕事に無力感を感じる人が75％を占めているという結果が出ています。調査を行った野村総合研究所では、「特に若い世代を中心にモチベーションの低下が著しく、生産性を上げるためにもやる気アップが重要」と述べています。やる気が起こらない原因は様々でしょうが、やる気をなくすと、会社を休んだり遅刻をしたりすることが多くなるようです。そうなると、ますます悪循環です。

日本メンタルヘルス協会の心理カウンセラー・林恭弘氏は、やる気が起こらない原因を、知識・技術の欠如、人間関係など10の要因に分類。「要因はリンクしており、どれかが好転すると他もよくなる。やる気を最も阻害する要因を探り、そこから対策をとると効率的」と指摘します。

やる気は起こさせるものではなく、自ら起こすものです。車に喩えるとエンジンをかけること。そのためには自分なりの「エンスト対応策」も持っておくことが大切でしょう。

睡眠

電車に乗ると、座席で居眠りしている人をよく見かけます。学生から社会人まで男女を問わず、それも朝の通勤時間から昼間、帰宅時間と、眠っている人を見かけないことはありません。確かに電車の心地よい揺れが眠気を誘うのは事実ですが、明らかに睡眠時間が不足して疲れ切っている人も多いようです。

昼寝の効用を説く久留米大学医学部の内村直尚助教授は、高校生に実験したところ、昼食後15分の昼寝で集中力が高まり、成績も上がる生徒が続出したと発表しました。同時に「日本人は睡眠の重要性が分かっていない。うつ症状の元は不眠である」と警告しています。

現代は生活スタイルが夜型に変わり、早く寝るのがもったいないように考えられています。昼寝を考えることも大事なようですが、夜の睡眠時間を無駄にしていないか、自分の生活スタイルを見直してみる必要がありそうです。

構想力

今日は、ある本の前書きから。

『現代という時代は、先行きの見えない時代だといわれる。誰もがこの先どうなっていくのか明確に見極められないでいる。構想力は、こうした閉塞した状況を打ち破るための大きな力になると私は思うのだ。

なぜなら、将来どうなるかを正確に読み、向かうべき将来像を明確に描いたうえで、それを実現させるための方法や道筋を組み立てることができれば、効率よくものごとを進め、処理することができる。そうすれば、競合相手に先んずるだけでなく、市場を開拓できるし、事前にしかるべき手を打っておくことも可能になる。また、たとえ状況が変化したり、最初に構想したようにはならなかったりしても、その状況に即した新たな構想をいち早く練り直すことができれば大きなアドバンテージを得られるはずだ。先が見えにくい時代だからこそ、構想力の強弱が今後ますます問われてくると思うのだ。

また、いまや日本人の平均寿命は80歳を超えている。とすれば、仕事の第一線を離れたあとの人生、すなわち第二、第三の人生についての構想を描いておくことが、これからの老後を迎える人々にとっては非常に大切になるのではないかと思う。ビジネスの現場を退いたとき、その後の人生について何らかの構想を持っているのといないのとでは、それからの歩みはずいぶん違ったものになるだろう。しかるべき生きがいや目標、夢を持ち、その実現に向かって何を、どのようにしていけばいいのか構想しておけば、それだけ実り多い人生を送れるだろうと私は思うのである。』

これを読んだだけだとビジネス書のようですが、この本は、谷川浩司永世名人の『構想力』（角川oneテーマ21）という本です。有名な本なので、もう読んだ人もいると思います。この本は将棋を題材にして、構想力の重要性や磨き方を説いているのですが、私が非常に興味を持ったのは、ビジネスや日常に起こる色々な場面のアナロジーとして説得力があるということでした。言い換えると、日常の様々な事象が、将棋のなかに凝縮されているということです。将棋に場面を置き換えて、現実に起こっていることを整理して考えてみると、何かが見えてくるかもしれません。課題を抱えて、悶々としているときは、違う視点で見直してみる、立場を変えてみるなどにより、自分のとるべき行動が見えてくることがあります。

頭のいい人が書いた本だけあって、論理的でわかりやすく読みやすい内容になっています。将棋好きな人は勿論、将棋に興味がない人でも十分理解できますので、ご一読をお薦めします。

ほめる効果

雑談や世間話は、英語で言うとsmall talkですが、実際はその役割はlargeで、アメリカではsmall talkのハウツー本が沢山出ているそうです。small talkには、天気、最新のニュース、スポーツなどの話題がよく使われますが、compliment（ほめること）は相手とより親密になり、会話がはずむ重要な役割を担っています。

日本人には、この「ほめる」ことが苦手な人が多いようです。ほめることがお世辞ととられやすいので、素直にほめることにブレーキがかかりがちです。また、日本人には「以心伝心」という言葉があるように、明確に細かく言わなくても相手が自分の本意を察してくれることを期待している面があります。目上の人をほめることは失礼という意識もあります。さらに、謙遜の美徳はいまだにあり、ほめ言葉を素直に受け入れない土壌があります。アメリカだと、ほめられると“Thank you.”と言うのに、日本では、「いえいえ」「とんでもありません」などと言うことがありますね。

このような日本人に対して、アメリカ人には色々な場面でほめ言葉を使う習慣があります。うまくいったことをほめるだけでなく、失敗したときにも“I'm proud of you.”というように、「結果はどうであれ、行動した君がすごい」というようなたたえ方をします。似たようなフレーズに“Good try!”がありますね。

以前、マズローの欲求5段階説の第4段階が「周りの人々から認められたい欲求」(承認欲求)であるという話をしましたが、アメリカ人であれ、日本人であれ、周りから認めてもらいたいという思いは同じです。アメリカには日常的にほめる文化がありますが、日本人の場合、ほめられたいけどほめてもらえないという人が多いのではないでしょうか。この「ほめる」「承認欲求を満たす」ということの効果は、枚挙に暇がありません。ある中小企業ですが、管理職に毎日最低一回は部下をほめるように言い渡したところ、職場の雰囲気が目に見えて明るくなり、それまで横ばいだった売り上げが一気に上がり始めたそうです。教育の現場でも、生徒を意識的にほめるようにしたところ生徒たちの態度が前向きになり、クラスにおける問題行動が減少したという話もあります。客からほめられた新入社員が、見違えるように自信をもって仕事をするようになった例があります。また、ほめることは離職を抑制する効果があると言われています。

こう言うと、ほめることはいいことばかりのようですが、場合によってはモチベーションを低下させるような逆効果となることがあるので要注意です。学者の研究によると、ほめられることが有能感や自己決定に関する情報につながる場合にはモチベーションを高めますが、統制の手段と受け取られる場合にはモチベーションを低下させるそうです。それでは、どんな場合に「統制の手段」と受け取られるかというと、相手が統制できる立場にあるとき、たとえば上司対部下、教師対生徒、親対子のように上下関係にあって、権限を握る上の者が下の者をほめるときです。たとえば上司と部下の場合、部下がほめられるということは、これからも同様の行為をするように上司から命じられたのと同じです。「君は誠実な人間だから、絶対に私を裏切るようなことはしないと信じているよ」と上司から言われれば、部下はこれからもそうする以外に選択の余地はないことになります。お互いの人格的関係が絡むだけに、部下にとっては厳命されたよりも重く心にのしかかることになります。

なんだか、ほめることも難しいような話になってきましたが、日常的なほめ言葉については、素直な気持ちがあれば伝わりますし、ここぞとほめるときは、相手が重要だと思っている点についてＴＰＯをわきまえてほめることが効果的だそうです。皆さんも身近なところから、ほめてみてはいかがですか？

はげます言葉

先週の「ほめる」ことに続いて、今週は「はげます」ことについての話です。「はげます」というと「頑張ってください」という言葉が浮かびますが、私はどうもこの「頑張ってください」という言葉に違和感があって、送別の言葉や歓迎の言葉を言うときも、この言葉は使わないようにしています。特に送別会では、「頑張らなくていいので……」ということを意識的に言うときがあります。新天地へ向かう人は、どうしても肩に力が入って「よし！　頑張ろう」という気持ちになっているでしょうから、そういう人に対してさらに「頑張って！」と追い討ちをかけるのは、相手の気持ちを考えた「はげまし」とは言えないと思うからです。

それでは、「頑張って！」を使わない「はげまし」の言葉にはどんなものがあるのでしょうか？　またアメリカ人の話ですが、アメリカ人は「頑張って」を直訳した“work harder”などという言葉は使いません。アメリカ人がよく使うのは、“Good luck!”です。日本人が使う「頑張って！」の殆どがこの“Good luck!”で置き換えられると言われています。“Good luck!”には、「あなたのためにお祈りしてますよ」という想いがあるので、相手の温かさが感じられる「はげまし」の言葉となっています。

“Good luck!”と同じ場面で使われる言葉に“Have fun!”があります。「人生を楽しむ」「そのとき、そのときを楽しむ」という発想が、アメリカ人のはげましの原点にあるようです。先日のオリンピックで、試合前のインタビューに答えて「試合を楽しみたいと思います」と答えた日本人選手が何人かいました。スポーツ選手のインタビューでは、時々耳にする表現です。「試合を楽しむ」「勝負を楽しむ」と聞くと、日本人の中には、「もっと真面目に、精一杯頑張れ！」と思う人も少なからずいるのではないでしょうか？　最近のスポーツ選手が使う「勝負を楽しみたい」という表現は、アメリカ人が使う“Have fun!”と正に同じで、自分自身を鼓舞して、はげましている表現だと思います。

日本のスポーツ選手の中で、誰が最初に「試合を楽しみたい」という表現を使ったのか、そしてそれは“Have fun!”を意識して使ったのか、あるいは全くのオリジナル表現だったのかなど、興味のあるところです。「ほめる」「はげます」などに関して、アメリカ人の表現方法の中で良いものは日本語の中に取り入れていったらよいと思いますし、自然に取り入れられていくような気もします。「良い週末を！」とか「いい仕事をしてますね」など、日本語としては新しいですが、欧米では以前から日常的に使われる言葉も日本で使う機会が増えつつあるように思います。それでは、皆さんにとって今日もよい一日でありますように！　“Schönen Tag!”（話をしていたドイツ人が話し終わって別れる時に言う言葉。午後になると、“Schönen Tag noch!”となる）

整理整頓

机の周りに書類を積み重ねている人がいますが、スペースが狭かったり、書類を整理していなかったりすると、仕事の効率は低下します。

デスクの上に山積みされた書類の中で、仕事をしてはいませんか？　いざという時に大事な書類が見つからずに失敗することが多いでしょう。整理整頓の苦手な人は、不必要な物まで後生大事にしまっておく傾向があり、いろいろと入り乱れて何が何だかわからなくなるのです。「あの書類はどこだろう？」などと、探索に時間を割いていては、肝心の仕事がおろそかになることは目に見えています。探す時間は無駄な時間なのです。書類や物の管理をする上で大切なのは、「どの書類・物を置けばよいのか」「それがいつ必要なのか」ということに意識を向けることです。特に、物は必要な時に手元にあることが最も大事ですから、整理整頓の際には、①使用頻度の高いものから身近に置く、②系統だった置き方をする、③ほとんど使わないものは定期的に処分をする、などに留意するとよいでしょう。整理整頓の理想は、他人が見ても何がどこにあるかが分かるようになっていること。誰がみても必要な書類が取り出せるのは、部署として大きな強みです。

捨てる技術

今回は、『「捨てる！」技術』などの著書がある辰巳渚さん（家事塾塾長）が書かれた「いらない物を捨てる」という文章を抜粋して、紹介します。身の回りの整理に参考にしてください。

『生活の充実をはかるために、驚くほど効果的なのが、身の回りの物の見直しです。そのときに、「いらない物は捨てる」と考えると、上手に見直しができます。いらない物を捨てるためのテクニックは、二つのステップで考えます。

最初のステップは、その物が「使える」か「使えない」かを判断すること。バージョンが古くて使えないPC用アプリケーションなどは、機能として使えないのだから、捨て去ったほうがすっきりします。直せば使えるものは、すぐに直して「使える」状態にします。

次のステップは、「使える」物について、「使う」か「使わない」かを判断すること。せっかく買っても、何年も使っていない物は、「使わない」物と判断します。「いつかやろうと思っているフランス語会話のテープ」など、機能としては「使える」けれど、「私が使う物」かどうか判断する必要があります。

実は、「私が使わないものは捨てる」という判断力は、生活のあらゆる面と関わっています。ワークライフバランスを図る時に、鍵になってくるのは、時間をコントロールする力でしょう。

誰もが平等に持っている24時間の中で、自分は何をしたいのか、そのためには何をしないで済ませるのか。

物は、少なくともただ溜め込むことはできます。けれども、時間は溜めておけません。瞬間的に「これは捨てよう」と判断して、次のことに時間を振り分けられるだけでも、時間の使い方とゆとりが大きく違ってきます。

時間だけではありません。お金についても、必要のないものを買わない判断力が身に付くと、「これは私にとって必要だ」と自信を持ってお金を出す判断力も身に付きます。つまり、生きたお金の使い方ができるようになるのです。他にも自分のエネルギー、人間関係など、全てについて応用可能です。その訓練のためにも、目の前の具体的な「物」について取り組むことをお勧めします。』


配布物や会議の資料、あるいは各種の電子ファイルなど、私達の周りは情報にあふれています。「後で目を通そう」とか「役に立つかもしれないから一応保存しておこう」などと思って、「使う」か「使わない」かの判断を後回しにしている場合も多いのではないでしょうか。そうすると、どうしても「使わない物」が溜まってしまいます。瞬間的に「これは捨てよう」と判断することが重要だと思います。

設計部は、倉庫に2000箱以上の文書保存箱を保存しています。それらは「使える物」かもしれませんが、大多数は「使わない物」です。このたび、この使っていない文書保存箱を廃棄する作業にとりかかりました。

皆さんに確実に実施して欲しいことを述べます。それは、成果品の保管です。案件が終了したら終了届を提出し、成果品をPDFファイルとして保管することになっています。案件終了時には、この作業を速やかに実施して、身の回りやプロジェクトサーバーの中身をすっきりさせて下さい。

メタボリックシンドローム

先日、人間ドックを受診し、種々の検査結果は概ね問題ありませんでしたが、「内臓脂肪型肥満の可能性がある」と医師に言われ、メタボリックシンドロームが身近な言葉となってきました。メタボリックシンドロームという言葉をよく聞くようになったのは、最近のことですが、健康に留意する多くの人に関心のある言葉になってきています。メタボリックシンドロームとは、内臓脂肪型肥満に加えて、高血糖、高血圧、脂質異常症のうち二つを合併した状態をいいます。このメタボリックシンドローム対策には、どうやら朝型生活が効果的なようです。

神奈川県立保健福祉大学のチームが、女子学生18人を対象に実証実験を行いました。彼女たちに「朝型」と「夜型」の食生活をしてもらい、食事をとった際に、食物の消化と吸収などのために体が消費するエネルギー量を測りました。その結果、夜型よりも朝型の方がエネルギーの消費量が多く、太りにくいことが、データとして裏付けられました。夜遅くの飲食は、メタボリックシンドロームになる確率をアップさせているというのが実験で得られた結果です。

早起きがなかなかできないという人は、次の手段が効果的だそうです。①昼間は極力体を動かす、②寝る前には飲食は控えて早く休む、③朝は眠くても、決めた時間に「エイッ」と寝具を蹴って起き上がる。まあ、言うのは簡単ですが、生活習慣はなかなか急には変えられません。それでも、自分の意志があれば、徐々に変えていくことはできます。ちょうど、食事の塩分を徐々に減らしていくような感じだと思います。

朝型生活は日中の仕事がはかどり、早く眠れば省エネにつながるという利点もあります。「夜型」の人は、まずは「夜の9時以降は食事をしない」というようなルールを自分で決めて、実行するのがいいのではないかと思います。夜食べなければ、その分早く寝て、早起きもしやすくなるというように、「朝型」生活に変えていけるのではないでしょうか。

決めつけない

「あの人は○○なタイプだ」とか、「××なのは、○○だからだ」とか、物事を決めつけるような話を時々耳にします。人には色々な側面があるし、同じ状況でも同じ行動をするとは限りません。そもそも人は自分自身のことすら十分には理解できないのですから、ましてや他の人のことなど理解することはできません。だから私は、他の人の性向などを決めつけるような発言をする人を見ると、「この人は物事をもっと柔軟に考えればいいのにな」と思います。このように「決めつけるタイプ」の上司だと、部下の実力を伸ばす機会が閉ざされることにもなりかねません。「A君は〇〇なタイプだから、このポジション（役割）は心配で、任せられない」というような発言を聞くと、その発言者の方が心配になってきます。人には大きな潜在能力があるので、機会を与えれば確実に実力が伸びて、活躍の幅が広がっていきます。

『1940年にロンドン南部が、ドイツ空軍による激しい爆撃にさらされたが、ある地域が焦土と化した一方で、無傷の地域もいくつかあった。爆弾の配分はある論理に従っているように見えたから、無傷の地域にはドイツ軍のスパイが住んでいるのだろうと憶測する人までいた。ドイツがロンドンを爆撃した際の戦略にあった命令を正確につかむかどうかは、生きるか死ぬかの問題になった。しかしながら、次に標的になる地域を予測して確実な避難を図るための理論は、すでに出尽くしていた。そのような状況の時に、統計学者のウィリアム・フェラーは、実際に標的になった地域に目をつけて、爆撃を統計学的に分析した結果、標的の決め方を理解した。フェラーは、対象となった爆撃区域を等面積の576個の区域に分割し、爆弾が命中した個数との関係から、ドイツ軍の爆弾投下がランダムに実施され、法則性などは全くないことを証明した。』

右記のフェラーさんは、爆弾の命中個数と区画数との関係がポアソン分布に従うことを検定したということです。ランダムな事象は、ポアソン分布に従って発生するからです。たとえば、巨大地震はランダムに発生すると仮定するので、その再現期間はポアソン分布から計算されています。このような規則性のない事象に対しても、人は何らかの法則や因果関係を見つけたがる傾向があると言われています。決めつけてはいけないものを、決めつけてしまうと、そこには認識の誤りが生まれます。人間関係がしっくりいかない原因のほとんどは、このような誤解によるものです。確率論では、起こりうる事象全てを排除しないので、たとえば「安全に絶対はない」という考え方になります。つまり、どんな巨大地震を想定して設計した構造物でも「破壊確率○○％」という数字を提示するのです。これに対して、阪神淡路大震災前では、「関東地震が来ても壊れません」などと平気で言っていたのです。つまり、「壊れる」「壊れない」の二元論ですね。

人間や世の中で起こる事象に対して、二元論のような確定論的な取り扱いではなくて、全ての可能性を排除しない確率論的な考え方で対処する方が、視野も広がり、人間関係もレベルアップするのではないでしょうか。

フォールス・コンセンサス効果

『まだ携帯電話が今ほどは普及していない頃、シカゴ大学の先生がある学生に次の質問をした。

Ａ「あなたは携帯電話を持っていますか？」
Ｂ「クラスの中の何％が携帯電話を持っていると思いますか？」
携帯電話を持っている学生は、Ｂの質問に対して、クラスの65％が持っていると答えた。一方、携帯電話を持っていない学生は、持っているのは40％であると答えた。携帯電話を持っている学生は、実際は約50％だった。』

このことから分かるのは、人には「他人も自分と同じように行動すると思う」という性癖があることです。私達は、他人が持つ意見や趣味や好みなどを考えるとき、そこに自分の意見や趣味や好みを投影させてしまう傾向があります。好むと好まざるとにかかわらず、そのような傾向のためにゆがんだ判断をしてしまうことがあることを認識しておく必要があります。

社会心理学者は、他人に自分を投影させてしまうこの傾向に、「フォールス・コンセンサス効果」という呼び名をつけています。人はある状況における自分の判断や行動は一般的なものであり、適切であるとみているので、他者も普通なら自分と同じように判断し、行動するだろうと考えます。そして、もしそれを逸脱した他者に出会うと、その他者が特別なのか、あるいは変わった存在だとみなしてしまうそうです。自分と違う行動をしたり、考え方を持つ人が現れると、その人に何か欠陥があるのではないかというレッテルを貼り、自らの「常識」に固執するようになる人もいます。そして、自分の意見を「常識」と言い立てる人も見られます。

人がそれぞれ違った考え方を持っていることを認識しておくことは、討議などを良い結論に導くために必要なことだと思います。権力を持っている立場の人は、自分の意見になびく人がいることも考えて、特に注意する必要があります。

予言の自己成就

『1932年のある水曜日の朝、カートライト・ミリングヴィルは職場に向かった。彼の勤め先はナショナル・バンクで、彼はそこの頭取だった。銀行に着くと、出納窓口が水曜日にしてはかなり混んでいることに気がついた。給料をもらう日にはまだ日があるのに、預金をする人々が押しかけるのは異例だった。ミリングヴィルは、その人達が解雇されたのでなければいいとひそかに願いながら、いつもの頭取の仕事にかかった。ナショナル・バンクは、折り紙つきの堅実な銀行だった。それは頭取から株主まで誰もが知っていた。しかし、出納窓口の前に列をなしている人達はそのことを知らなかった。それどころか、銀行は倒産寸前で、一刻も早く預金を引き出してしまわなければ、手元には一銭も残らないだろうと思っていた。そこで預金の払い戻しをしようと、列をなしていたわけだ。彼らが思い込んだだけで行動に移していなければ、「それは間違いだ」で済んだ。しかし、思いこみを行動に移した今では、彼らは頭取のミリングヴィルも株主も知らない事実を知っていた。彼らがその事実を知っていたのは、それを引き起こしたのが彼らであったからである。こうして彼らの予言が成就し、銀行は倒産した。』

これは「予言の自己成就」という考え方を最初に思いついたロバート・マートンという経済学者が、その考え方を説明するために用いた想像上の話です。「予言の自己成就」とは、個人が自己の予測や願望に沿うような行動をとった場合、社会現象としてその通りの結果が出現することを言います。たとえば、「地価は上がる」と人々が信じることにより実際に地価は上がり、また、「株価は上がる」と信じている限り株価は上がり続けます。その逆もあるわけで、「銀行が倒産する」「危険物質が混入されている」などと人々が予測して、預金を引き出しに殺到したり、購買拒否をしたりすれば、銀行や食品会社はあっという間に倒産してしまいます。思い込みや風評の恐ろしさは他人事ではありません。とりわけ、現代はインターネットの時代ですから、「予言」のスピードとパワーは半端ではないと思います。

世界中の金融市場でも、日々、ひとりでに実現する予言がひそかに広がっています。サブプライムローンの危機に巻き込まれたイギリスの銀行ノーザン・ロックもこの餌食になりました。自己成就する予言のはじまりは２００７年９月、資金繰りの悪化が発表された時でした。それに続く数週間のうちに、イギリスでも五指に入る住宅金融業者であるこの銀行の株が、資金にして75%を失いました。そして、ノーザン・ロック銀行が危機に陥ったというニュースが広まると、貯金がなくなる不安に駆られた預金者たちが、長蛇の列をつくることになったのです。

このように、「現実のものでないことが、予言によって自分たちの共有する知識になり、行動することによって、現実のものになってしまう」ということは、日常生活の中でも、職場でも時々起こっているように感じられます。

家族に感謝

私は大学を卒業して30年経ちました。「光陰矢のごとし」というのが率直な感想ですが、振り返ってみると、経験した様々なことを思い出します。色々なことがあったなぁと思うと、「あっという間だった」というのは当たっていないようにも思います。「短かったな」と感じるのは単に忘れっぽくなっているからで、この30年という期間は、実は時間どおりの長い時間だったというのが真実なのでしょうか。

私は大学同期の幹事をずっとやっていて、現在、今週末に開催する「卒業30周年記念同窓会」の段取りをしています。同窓会は一泊二日の温泉＋ゴルフですが、記念文集も作成しています。皆から集まってきた文集原稿を読むと、この30年間に皆それぞれが、様々な経験をしていることがわかります。自分で会社を作った人が2人います。東京駅の新幹線ホーム増設のために中央線重層化を提案し実現させたのが同級生だとは知りませんでした。内閣官房の情報セキュリティセンターなんてところにいる人もいます。お祖父さんになった同級生もでてきました。

文集では、自分が経験してきた仕事のことを書いている人が多いのですが、20周年の時に比べて目を引くのは「家族に対する感謝」を書いている人が何人か見られることです。確かに、妻が家族の面倒を見てくれるから仕事に集中できるし、家族がいてくれるから心が和んで精神的に安定することができるのだと思います。このような家族の存在がもたらしてくれる効果は、普段は当たり前のように思っていて、なかなか感じませんね。私自身も、妻や子どもが発している黄色信号をキャッチできなくて、重要な相談をちゃんと聞いてこなかったのではないかと反省しています。家族としっかり話をする、相談されたり、相談したりする、ということが非常に重要だと最近感じるようになりました。「仕事だから（しかたないだろう）」というセリフは、家庭内の問題のきっかけになることが多いので、注意が必要です。

家族のサポートに感謝する気持ちを忘れずに、ワークとライフのバランスがとれた行動をしていくことが、家族にとっても幸せですし、自分自身も精神的に安定して、仕事に対するモチベーションもアップすることになるのだろうと思います。設計部では、近々新しく家庭を持つ方がいらっしゃいますが、是非とも家庭と仕事のバランスのとれた生活に心がけていただきたいと思います。

咀嚼運動

食事に時間をかけることは、大変重要なことと言われています。談笑しながら味覚を楽しみ、アルコールを嗜む。これは、唾液の分泌を誘い、消化酵素の湧出を導きますし、唾液腺ホルモンや脳神経刺激伝達物質などを促す結果にもなります。また、アルコールによって血管は拡張するので、吸収を高めることにも繋がります。フランス・イタリア・スペインなどでは、談笑しながら時間をかけて食事をする習慣がありますが、日本では、まだまだ、「しゃべってないで、早く食べなさい！」と躾けられている子どもが多いのではないでしょうか？　知らず知らず、早く食事をすることが習慣となっている人が多い日本ですが、そうなるとよく噛んで食べることも疎かになってきていると思います。一方で、よく噛まなければ食べられないような食材が減ってきているように思います。

東京大学医学部元教授の堀準一先生は、このような咀嚼運動の低下に警鐘を鳴らしています。以下、堀先生のお話を紹介します。

『人間は、口腔から食物を摂取し、それを咀嚼して栄養とすることで生命体を維持しています。しかしながら、近年、栄養摂取の手段が極めて安易なものになり、食材の改良と調理法の発達によって簡単に飲み込めるものが増えたため、咀嚼という行為が疎かになり、顎の発達にも影響がでています。よく噛んで食事をするということは、大脳や小脳、視床下部などの中枢神経を直接刺激することになるため、認知症やアルツハイマー病などの脳神経機能障害の疾患の予防につながります。咀嚼運動と栄養摂取は、本来不可分の関係にありましたが、今日では咀嚼運動が軽視され、栄養摂取のみに重きが置かれています。脳神経機能障害は、そのことに対する警鐘と考えることもできます。日本は世界有数の長寿大国ですが、実は先進諸国の中でも寝たきり老齢者が多く、認知症の発症時期が著しく早いという統計があります。また、80歳の残存歯数は先進国の中では最も低く、高い衛生観念を持つ日本人にとっては信じ難い数値でもあります。これらの状況は、咀嚼運動が軽視されてきた結果起こっていると考えられます。』

この話を聞くと、まさに思い当たることばかりですね。私も、脳神経機能障害を予防し、丈夫な歯をできるだけ多く維持するために、そして、脳に刺激を与えて活性化させるために、意識的に「よく噛む」ことに心がけようと思います。

現状維持

『1991年に経済アナリストのあるグループが、カリフォルニアの電力消費者を対象にしたインタビュー調査を行った。被験者は二つのカテゴリーに分けられた。一方は、契約料金は安価だが、信頼性に劣るサービスを受けている人、もう一方は、契約料金が高めで、高度なサービスを受けている人。両グループの収入の額と電気消費量には、有意な違いはなかった。

各人にサービスの信頼性と料金について6つの組み合わせを提示し、その中から最も良いと思われるものを一つ選ぶようにと言った。誰にとっても、6つの内一つは、現在の契約と同じ内容だった。

調査の結果は、大多数の人が、提示された質問の諸条件を検討せず、今の状態、「現状維持」を選んでいる。つまりそれが最も良いとみなしたわけだが、何もしないことによって、「危険」な選択をして窮地に陥ることを避けたのは明白である。現状を放棄することによって生じる不利益の方が利益よりも大きいとみなしたのだ。

現状を維持したいという気持ちは、別の選択肢を示されても、それをまじめに考える力を弱めてしまう。』


皆さんも、どちらでも似たりよったりの選択肢がある場合は、大抵の場合、「現状維持」を選んでいるのではないでしょうか？　現状と違うことをやるのが面倒くさい、今でも支障なくできているのだから変える必要がない、などと考えることが殆どですよね。最近、この点に関連した出来事がありましたので、少し紹介します。

私は、土木学会の部門F編集小委員会の委員長として活動しています。常時、40～50編の掲載前の論文について査読をしたり、審議をしたりして、面倒を見ているのですが、審議する時は、プリントアウトした論文を見ながら議論するのが通例でした。昨年、新任の委員の方から、「関係する論文をいつも持ってくるのは重たいので、プロジェクターに映写して、担当委員が説明するようにしてはどうか」という提案がありました。これを聞いた時、即座に『紙なら色々なページを直ぐに見られるが、プロジェクターだと1ページしか見られず、審議の効率が落ちるから、よくないな』と思いました。また、他の委員の方々も否定的な雰囲気でした。しかし一方で、『多分、現状より効率が悪くなり、元に戻ることになるだろうが、今までやっていないことなので、一度やってみても面白い。また、新任委員の提案なので、Yesと言えば、彼のモチベーションも上がるだろう。』とも思いましたので、「効率が落ちるだろうからやめましょう」とは言わずに、「やったことがないので、どうなるかやってみましょう」と言い、次回からプロジェクターを使った審議を行いました。やってみると、スクリーンに映された論文のポインターの位置に皆が集中し、担当委員の説明も効率的になりました。重たい論文ファイルを持ってこなくてよくなるだけでなく、作業効率もアップできることがわかりました。また、提案した委員が以前よりも積極的に審議に参加しているように感じました。

どちらでもいいようなことは、「現状維持」を選択していることが多いと思いますが、新たな提案については、提案者に乗っかって採用してみるという選択も面白いと思います。採用する前にはわからなかった新しい発見もあるのではないでしょうか。

今を暮らす心構え

新年度になって、設計部からは3名が現場へ転勤になりました。転勤した皆さんが、それぞれの現場で活躍してくれることを期待しています。少し前のWeekly Mailでは、このような転勤は自分の活躍の範囲を拡げ、また自分を変えるチャンスだと言いました。それとともに、新しい職場や地域社会に充分溶け込んで仕事をし、生活していただきたいと思います。転勤の際の送別会で私が「骨を埋めるつもりで活躍して欲しい」と冗談まじりで言うのは、私自身の体験から重要な心構えだと思っているからです。腰掛け的な気分でいたり、自分の本拠地は別のところにあるというような思いがあると、その気持ちが言葉の端々や行動に表れ、その人は部外者として扱われてしまいます。「私は1年の有期で来ましたから」とか「俺は後○年だから」などという発言をたまに耳にしますが、そういう人には物を相談しても仕方がないなと思ってしまいますね。

その私自身の体験とはどのようなものだったかを簡単に紹介しましょう。

私自身は今までに15回引っ越しをしましたが、特に中学までは転校が多かったですね。そのせいか、新しい環境への適応力が身に付いたのではないかと思います。一方で、出会いと別れにちょっと淡白になってしまったかもしれません。私が生活した中で、一番変わった環境だったのは、やはりミュンヘンでの3年間でした。誰も知り合いのいないところへ一人で行って、生活の基盤を整えてから家族を呼び寄せました。私はミュンヘン工科大学で客員研究員として働きましたが、言葉は全てドイツ語で、英語を使うのはサバティカルで来たアメリカの先生と同室になった時くらいでした。大学で付き合う人は教授や助手で、皆英語を話せるのですが、私が英語を話していたのではいつまでもお客さん扱いされかねないので、私はドイツ人とは一切英語は話しませんでした。長男が幼稚園へ通っていたお蔭で、キリスト教の四季折々の行事に参加することもできたし、幼稚園の友達や近所の友達の家族とも親密な付き合いができ、家に帰るとドイツ人の子ども達の託児所のようになっていることもしばしばありました。

そのようにミュンヘンで生活していた時、今だから明かしますが、私は当社の社員だという自覚もなかったし、日本へ帰国するということも考えていませんでした。大学ではスタッフの一員として信頼されていたと思いますし、地域社会では家族ぐるみでミュンヘンの生活に順応していたのだと思います。当時は、日本との連絡は手紙でしたので、日本は遠く離れた外国という感じになり、日本とはだんだん疎遠になっていきましたね。実は今、わが娘はミュンヘンにいるのですが、無料のテレビ電話（skype）を使って日本にいたときと同じように会話を楽しんでいます。娘には、「骨を埋める覚悟で取り組め。決して帰国することを考えるな」と厳しいことを言って送りだしたのですが、こんな時代になると、「異国の地で骨を埋める」などという気持ちにはならないのだろうなと思います。さて、私は当時そんな感じで、帰国するという実感のないまま生活していました。日本へ帰る日が近づいてきたある日、家族ぐるみで親しくしていたチェコ人一家に「送別会をするから」と招待された時のことです。散歩をしたり食事をしたりして名残を惜しんだ後、「ではさようなら。お元気で」という時になって、チェコ人の奥さんが泣き出してしまいました。その時、私の妻が、“Nicht weinen!”（泣いちゃダメ）と言ったの聞いて、私は初めて『とうとう帰国するんだな』と自覚したのを思い出します。「ここで骨を埋める」とまでは言わないにしても、「この環境に順応するんだ」という確固とした思いがあれば、人間はじっくりと腰を据えて、物事に本質的にそして本格的に取り組んでいくのだと思います。これは、生活の場所という環境だけではなくて、社内のプロジェクトや社外の委員会などの一員になったときも同じことが言えると思います。

魅力的な声

設計部員は、自分が作成した技術的な図書を相手にわかり易く表現したり、説明したりすることが仕事です。したがって、発行する設計図書が適切な技術に基づいた内容であることは基本ですが、わかり易い文章を書く力やわかり易く説明する力が必要になります。人に説明をすることが、我々の仕事の主要な部分を占めているので、話す相手から好感を持ってもらうことも重要になります。

説明は、声を通して相手に伝わります。まず声について言いますと、声には敬遠される声というのがあるそうです。たとえば次のような声です。

- こもった声　鈍感なイメージ。クリアに聞こえにくいので相手にストレスを与える。
- 小さい声　気弱で消極的なイメージ。
- 大きな声　無神経で自分勝手なイメージ。
- カン高い声　神経質でうるさいイメージ。感情的だ（興奮しやすい）というイメージ。

■ダミ声　聞き取りにくく狡猾なイメージ

では人はどのような（男）声に好感を持つかというと、「落ち着いた低い声」だそうです。低くて深い声は、相手に知性や安心感、信頼感を与えるようです。また、声のボリュームコントロールも重要です。話し相手の人数や相手の位置によって、声のボリュームを変える必要があります。質疑応答のような場面ではあまり気になりませんが、自分が長い時間説明する（講演する）場面では、だんだん声のボリュームが小さくなることがあります。このような状態を避けるために、私の場合は、30人以上の人達に1時間以上話す場合には必ずマイクを使うようにしています。その他に、声の方向やトークスピードもTPOに応じて適切に操ることで、相手に与える印象やわかり易さに違いが出てきます。皆さんも、「声の質」「声の大きさ」「話す方向」「話すスピード」を意識的にコントロールして、説明能力を高めていただきたいと思います。

魅力的な声や話し方とともに、外見は相手に大きな印象を与えます。「第一印象は6秒でほぼ決まる」と言われています。私達が初対面で相手の好感度を判断する材料として話の内容が占める割合はたった7％しかありません。好感のほとんど全ては、55％の「外見」と38％の「声」で決まるそうです。言葉よりもほほ笑む表情、信頼できる清潔な服装、身ぶり手ぶりの印象で、人は相手を判断しているということです。

桜が満開になり、新入生、新入社員がフレッシュなスタートを切る季節になりました。私達も、この時期に自分の外見やパフォーマンスを見直して、好感度アップに努めてみましょう。きっと気持ちもリフレッシュできると思います。

節電

先週、東大の先生を訪問したのですが、教授室の窓が開いていて、冷房は入っていない様子でした。本社屋より暑く感じました。東大は、都内で有数の電力消費者ですから、15％節電を果たさなければなりません。これから、各所の勤務スペースが暑さで大変になってくるなと思いました。一方、私の息子が通っている高校は、ガス冷房なので、節電の影響はないそうです。そういう職場もあることでしょう。

我が家にクーラーを設置してから40年も経っていないと思います。それ以前はクーラーなどない生活でした。家では、扇風機が活躍していました。縁側のガラス戸は網戸で、寝る時は蚊帳を吊ったりしていましたね。暑くて喉が渇けば、蛇口から水を飲んでいました。クーラーがなかった時代の事務所や工場がどういう状況だったかは体験していませんが、今よりは勤務場所が暑かったと思います。「電力不足のため計画停電」ということもあったのでしょうか？最近「暑い、暑い」と口走る人が増えましたが、ついこの間までは、もっと暑かったのだと思うと、別に大した問題ではなさそうですよね。

近頃地下鉄や地下街で、うす暗く感じる所がありますが、そんな所を通ると、なんとなくヨーロッパの都市の地下街と似てきたなと感じます。ヨーロッパの街の地下街に比べると、日本の地下街はかなり明るいと思います。家の中の照明もそうです。ヨーロッパの家の中はかなり暗いです。私が初めてヨーロッパで暮らしたのは25年前ですが、駅や街中のエスカレータは、人が乗らなくなってしばらくすると自動的に止まるようになっていました。また、建物のなかの廊下では、スイッチを入れてからある時間（1分くらいだったと思います）が経つと自動的に灯りが消えるようになっていました。廊下で立ち話をしていると、何度も電灯のスイッチを入れなければなりませんでした。このような節電に対する配慮は、ヨーロッパではかなり前から定着していたのだと思います。

国民が節電のことを考える状況になりました。節電に対する考え方が変わり、具体的な対策が定着するような変革ができるのかどうか。それは、私達一人ひとりの行動にかかっているのだと思います。「喉元過ぎれば熱さ忘れる」というようなことにならないようにしたいものです。

信頼の解き放ち

我々は話の中で、各国の国民性を決めつけて話すことがあります。自分のごく少ない経験から、「〇〇人は信用できない」などと言う人もいますが、同じ国の人でも、人にはそれぞれ個性があって、色々な人がいます。「〇〇人だから」などと決めつけないで、先入観を持たずに対応することが、外国人と接する場合の基本だと思っています。そうは言っても、平均的な考え方や国民性などには、国によって明らかな違いがあるものがあります。

アメリカ人というと、自由主義が度を過ぎて自己顕示欲が強く、自己中心的なイメージが一般的にはあるようです。13年程前ですが、「他者への信頼感の日米比較」という調査研究が日本人の先生によって実施されました。「ほとんどの人は基本的に正直である」、「ほとんどの人は信頼できる」という二つの質問に対して、1（そうは思わない）〜5（そう思う）の5段階尺度で回答するという調査が、多数の日本人とアメリカ人に対して行われました。その結果は、両方の質問ともにアメリカ人の方が日本人よりも『そう思う』と答えた人が多かったのでした。この結果は、年齢や性別によらず同じでした。

言い方を変えると、「日本人はアメリカ人と比べて人を信頼する程度が低い」という結果になります。さて、この結果は、私達の直感に反します。犯罪率の高さなど、メディアの報道からは、アメリカ人の方が日本人よりも、はるかに他者への信頼感が低そうな感じがします。反対に、「相互信頼に支えられた調和的な日本」というイメージは、内外を問わず、今日でもなお根強いものがあります。この調査研究を実施した山岸俊男先生は、こうしたイメージと実態との落差を、「安心の日本、信頼のアメリカ」という言葉で説明します。ここで言う「安心」とは、一言で言えば、「普段から付き合いのある相手が自分に対してひどいことをしないだろう」という「安心」です。こうした解釈は、普段付き合いのない相手に対して私達が安心できるかどうかを考えてみればよく理解できます。「旅の恥はかき捨て」などのことわざが示すように、長期的な関係のない「赤の他人」との関係では、互いに善良に振る舞うことはあまり期待できそうにありません。この意味で安心のできる相手は、普段から付き合いのある「内集団」のメンバーだけに限定されます。

これに対して「信頼」とは、そうしたウチ—ソトの区別をほとんど行わず、「赤の他人」を含む人間一般の善良さを信じるという心理です。前述の日米比較調査では、日本人はアメリカ人よりも信頼感が低いという結果になりましたが、これは、よそ者に対して容易に心を開かない日本のムラ社会の例などを考えればよく理解できます。また、ビジネスの世界でも、内輪付き合いの関係が、日本では、長い間支配的な商慣行でした。日本では、特定の相手との安定した互恵関係がうまく機能していた社会だったので、安心して暮らしていたと言えます。日本社会に比べて流動性の高いアメリカ社会では、内輪の関係の外側に優れた可能性が数多く存在することを認識して、未知の相手であっても積極的に関係を求めていく傾向があります。信頼に基づく行動原理は、そのような社会においては、人々に大きなプラスをもたらします。アメリカ社会で見られるような、「信頼は内輪付き合いから人を解放し、外側の関係へと拓いていく」という状況を、社会心理学の言葉で「信頼の解き放ち」と言うそうです。日本社会、というよりも、個々の日本人において、この「信頼の解き放ち」が行われて、行動範囲やビジネス範囲を拡げて活躍できるようになっていかないと、日本が国際社会からますます取り残されていくような気がしてなりません。

心の安定を保つ

ゴルフでミスショットをする時は、心が落ち着いていないことが原因の大半を占めているように思います。アマチュアの私でもそう思うのですから、高い技術力を持っているトップクラスのスポーツ選手が失敗をするケースは、原因の殆どがメンタルな部分にあるのではないでしょうか。それでも、オリンピックや世界選手権レベルの大舞台で、自己新記録を出したり、練習での成功率が50％以下の難しい演技を成功させたりする選手がいることには驚きます。心を我々もこのようなスポーツ選手のように「本番に強い」心と体を身に付けたいものです。心を強くするためにスポーツ選手がやっている習慣をいくつか紹介しましょう。

ゴルフの宮里藍選手が時々、非常にゆっくりと素振りをしている映像を観た方も多いと思います。また、体操の内村航平選手の練習風景やテーピングを巻いたりする準備の様子を見ると、常にゆっくりと行動しています。プロ野球選手がバッターボックスに向かう姿もゆっくりしていますね。これから大勝負が控えている時に、心を整えるために「ゆっくり動く」ことは効果的だと言われています。また、これに似たことですが、時間に余裕を持って行動すると、心にも余裕ができ、精神的にも常に安定していられます。このことを実践するためにスポーツ界には「5分前集合」というルールがあるそうです。5分前倒しで行動していると、心に余裕が生まれ、念入りな準備もできます。逆に常に時間ギリギリの行動をしていると、何かに追われるように焦るとともに、準備不足となり、うっかりミスなども起こしやすくなるのです。

心を安定させ、強くするためには「規則正しい生活」が重要であることは言うまでもありません。不規則な生活を続けていると自律神経が乱れ、身体的にも精神的にも不安定になり、高い集中力を発揮できなくなるそうです。規則正しい生活を送るためには、一日のスケジュールが決まっていることが重要です。スケジュールが決まっていると、余計な焦りはなく、気持ちを落ち着かせて考えることもできます。我々の仕事には、前もってわかっていて計画を立てられるものと、突然飛び込んでくるものとがあります。これらの配分を予想して、実行可能なスケジュールを立てることは非常に重要な作業になります。予想できる仕事だけで計画すると、突発的で緊急性のある仕事が飛び込んできたときに、時間に追われて、心の平静が保てなくなります。そういう状態では、100%の実力が発揮できないのではないでしょうか。また、「規則正しい生活」の中には「整理整頓」が含まれています。身の回りの整理整頓は、心を落ち着かせて自律神経を安定させ、体と心のコンディションを整える効果があります。さらに、自分が整理整頓すると、それを見ている周りの人の心を落ち着かせ、安心させるという副次的な効果も期待できます。

その他トップアスリートが実践している習慣には、「迷いを捨てる（変化球は捨てて直球に狙いを定める）」「不平不満を口に出さない」「アクシデント（試合の結果など）に動じない『受け入れる力』を持つ」などがあります。皆さんも本番でもびくともしない強い心を持つために、自分なりに工夫して生活の習慣を作りましょう。

不平不満

先週に引き続き、スポーツ選手にまつわる話です。オリンピックなどに帯同しているスポーツドクターの話を紹介します。

『ユニバーシアード大会に帯同していつも感じることは、オリンピック選手に比べて大会期間中に体の不調を訴える選手が多いということです。慣れない選手村での生活、いつもと違う食事、そして飛行機を使った長旅、そんな環境の変化に対応できず、体調を崩してしまうのです。

さらには、日本と違う不慣れな環境に対して、不満や愚痴をもらす選手も目につきます。トルコ・イズミールで開催されたユニバーシアード大会（２００５年）では、オランダのアムステルダムを経由する長旅で、時差もあり、体調をコントロールできなかった選手が続出しました。また選手村の食事も日本人の口には合わないものばかりでした。長旅と海外の慣れない環境下で、初めて国際大会に参加した選手、または、国際大会に慣れていない選手たちは、見るからにイライラしている状態でした。「何、この食事！」「こんな食事では二週間もやっていけない」「こんな選手村では実力を発揮できない」などと、毎日文句を言う選手もいました。あからさまに言葉に出さなくても、不平不満がたまっていることを、ちょっとした言動や表情から見て取れる選手もいました。

一方、この大会には前年のアテネオリンピックで金メダルを獲得した吉田沙保里選手ら、オリンピック選手も参加していたので、そんな学生選手との違いがよくわかりました。選手村での吉田選手は、そういった全ての状況を当たり前のこととしてドンと構え、愚痴を言うこともありません。いつも元気な笑顔で、ネガティブな雰囲気を全く周囲に与えず、非常に落ち着いていたことが強く印象に残っています。当然と言えば当然ですが、吉田選手はその大会で、何の問題もなく勝ち進んで金メダルを獲得しました。

様々な国際大会に帯同してきましたが、強いトップアスリートが与えられた環境に関して不平不満を言ったり、文句を言ったりする場面に出会ったことがありません。高いレベルの選手は、どんな環境であろうとそれを受け入れて動じません。その環境の中で、いかにベストを尽くすかをいつも前向きに考えています。文句を言っているのは、やはり、トップレベルには至らないアスリート達なのです。

ネガティブなことを口にしていると、そこから、「こんな環境では、本番でもミスをするのでは……」「こんな状況では、怪我をしてしまうかもしれない……」とマイナス思考にどんどんはまっていき、自律神経も乱れていきます。

こうしたことは、普段の我々の生活にも当てはまると思います。

つい愚痴や不平不満を口にすることは、誰にでもあることです。しかし、ちょっとした愚痴を言ったりすることで、心の状態は負のスパイラルに入っていくのです。常にベストの状態に自分のコンディションを保ちたいと考えるのなら、ネガティブなことは口にすべきではないのです。』

我々の職場でも、実は本質とは関係ない枝葉末節の事項に関して、改善を主張したり、不平を言ったりしていることがあります。どちらでもいいようなことになぜこだわるのか、不思議な場面もあります。

右記のスポーツドクターは、「不平不満を口に出すと心が乱れるから、口に出すべきでない」とまとめています。しかし、そのような不平不満は深層心理から発せられている言葉ですから、止めろと言われても止められるわけではありません。

悪口の深層心理

さて、愚痴や不平不満を言うことは誰にでもありますね。それは、深層心理が欲求不満を解消するために発している言葉です。トップアスリートは、「勝って当然」というプレッシャーはあるかもしれませんが、あまり負けた時のことは考えていないのだと思います。それに対して、負ける可能性が大いにある経験の少ない学生選手は、「実力が発揮できなかったらどうしよう。無様な負け方をしたらどうしよう」などと不安な思いが深層心理にありますから、その不安を少しでも和らげようと無意識のうちに、不平不満が口をついて出てくるのだと思います。言い方を換えれば、「負けた時の言い訳の伏線として、不平不満を言っている」ということだと思います。これは、人間の本能ですから、『ネガティブなことは口にすべきでない』と抑え込んでしまうことが良い方法だとは一概に言えないのではないでしょうか。

人は、深層心理にある不安な思いを少しでも解消しようとしているので、それが言動に現れることがよくあります。たとえば、人に対する悪口や不平不満を語る人がいますね。あなた自身も人の悪口を言うことがありませんか？　自分と近い立場にいる人に対する悪口の内容は、実はその語り手が自分自身の弱点と思っていることを語っているのです。たとえば、「A君は仕事を他の人に回すばかりで、自分自身で手を動かしてやっていない」という悪口をB君が言っているとすれば、それはとりもなおさず、B君自身が「周りの人から、『Bは自分で手を動かして仕事をしていない』と思われてはいないだろうか」という不安が深層心理にあることを意味しています。その内容を他の人に転嫁することで、自分が弱点と思っていることにおいて、相対的に優位に立ち、周りからの目をそらそうとしているわけです。

私は、誰かの悪口を聞く時は、話の内容は全く興味がなくて、その話し手について「この人は、こんなことを自分の弱点と思っているんだ」と考えながら聞いています。つまり、話し手が自分自身の弱点を吐露しているととらえるのです。こういう目で人の話を聞いていると、話し手の考えていることがよく分かります。

飲み会などで、盛んに人の悪口や不平不満を言う人が時々いますね。自分は欲求不満を解消しているからいいのでしょうが、そんな話を聞かされる周りの人は全く面白くないわけです。よほどひどい時は、「心理学の常識だけど、今君が言っているような人の悪口は、自分自身の弱点を吐露しているんだよ。今の君の話で、君の弱点は……だということがよくわかったよ」と言ってあげれば、そんな話も収まります。

一方で、話し手が誰かを褒めているときは、自分自身もその点において自信があるというサインですから、「Bさんも、その点では遜色ない成果を上げていますよ」などと褒めてあげれば、とても喜んでくれるはずです。お客さんと会食しているときなどに活用できます。

人が絡む話の内容には、話し手の深層心理が現れていることを知ると、上手く会話をリードしていくことができるので、どうぞ試してみて下さい。

自然現象への畏敬の念

先週の土曜日に土設コンペが開催されました。今回が第73回という長い歴史があるゴルフコンペです。ゴルフを最近始めた人でも成績上位に入るチャンスがあるように配慮をして、ハンデキャップの上限を52まで増やしています。また、参加者で4位以下の人には、ハンデを一つ増やすというユニークなルールも取り入れています。今回も若手の人達中心のコンペとなり、嬉しい限りです。次回以降も、特に若手の方々には、友達同士声をかけて参加していただきたいと思います。伝統ある土設コンペが楽しいイベントとして継続されることを願っています。

今回の土設コンペの開催日は17日の土曜日で、その週の初めから雨が降る予報でした。前日の天気予報でも、会場のゴルフ場のある千葉県は「午前中は曇りで、午後はだんだん風雨が強くなる」という予報でした。実際の天候は「曇り時々小雨」で、天気予報は概ね当たっていましたが、雨は午前中に降って午後の方が少なかったので、その点は天気予報通りではありませんでした。天気予報は、平均的にはかなりな精度で的中しますが、山間部などの局所的な天気については、まだ正確な予報が難しいという状況でしょうか。

それにしても最近の天気予報の正確さには目を見張ります。一昔前は、「晴れの予報だったが雨が降った」などと天気予報が大きく外れることもありましたが、いつの間にか精度が向上して、皆さんも知らず知らず天気予報を信用するようになってきたのではないでしょうか。これも、データベースの蓄積やコンピュータの演算速度の向上などの科学技術の進歩があって達成されていることだと思います。先日、バス旅行をしたのですが、運転席の上にテルテル坊主がぶら下がっているのが目にとまりました。そう言えば、最近テルテル坊主を見なくなりましたね。私が幼稚園や小学校の低学年の時は、運動会や遠足の前に皆でテルテル坊主を作って、「明日天気になーれ」などと真剣に祈ったものですが、現在は天気予報が精度よく当たるようになってきたので、最早テルテル坊主の出番はなくなってきたのではないでしょうか。天気予報の精度向上とテルテル坊主の減少とは相関関係があるように思います。

科学技術が発達するにつれて、未知なる領域が解明されて、将来の予測もできるようになってきました。近代科学が発達する以前の人々にとっては、自然は自分達の力の及ばない対象であり、自然現象に対しての畏怖があったと思います。作物の収穫や身の安全を左右する自然現象について神頼みすることは当然の成り行きだと思いますし、天気に対してもテルテル坊主を作って祈る気持ちも理解できます。人々のこのような気持ちや文化が、科学技術の進歩とともに変容し衰退しているように感じます。夜空の星を見上げて「昔の人も同じ星々を見て、神話や物語を考えたんだなぁ」とロマンを感じるのと、「宇宙で解明されているのは４％だけで、未知のダークマターがあるんだ」と科学的な興味を膨らますのとでは、心の動きがかなり違います。

科学の発達につれて、大きな自然現象に対して畏敬の念を持って祈りを捧げるとか、想像を膨らませてロマンを感じるといった純真な気持ちが減ってきているように感じています。そのような気持ちの衰退を補完できるような心のバランスを、人々は歴史や芸術などに本能的に求めているのではないかと思います。

年末の大掃除

年末になり、家庭では大掃除をして気持ちよく新年を迎える準備が始まりました。職場でも同じことで、執務スペースをすっきりさせて、新年は少しでもフレッシュな気持ちで仕事をスタートさせたいものです。書類を分類する、不要なものを捨てる、身の回りを整理整頓するという作業ですが、これは物事の大切なところを見つける目を養う訓練でもあります。

資料一つとってみても「この資料は自分が持っていなければならないのか?」「電子ファイルだけあれば良いのではないか?」と少し自問自答することで身の回りの書類の状態に変化が現れてくるはずです。身の回りに「予備の文房具はなくてもよい」と判断して整理するだけでも、机の周りは少しすっきりするのではないでしょうか。片づけ術「断捨離」を提唱して有名な「やましたひでこ」さんは著作で次のように言っています。

『仕事の書類は、どうも蓄積されていく傾向が強いようです。気がつくと、机の上も引き出しの中も。書類が堆積しているといった状態。どこにどの書類があるのかさえ、わからなくなっている、といった事態に陥ってしまいがち。「捨てると困るような気もするし、かといって、今すぐ整理するだけの時間もない。とはいえ、このままではいけないことはわかっている……」というのが本音なのでは? 人によって、書類の山に対処できないタイプは分かれますが、大切なのは、書類が捨てられずにいること、書類が堆積していることに違和感を持つかどうかです。不要なモノまで拾い集めた〝ごみ溜めハウス〟がテレビ番組で取り上げられることがありますが、その人達はゴミの中で暮らすことに慣れてしまったのだと思います。つまりそれは、ゴミの中で暮らすことに鈍感になっているということ。違和感を持つことがなければ、片づけよう、不要なものを捨てようという意識は生まれません。私達は誰もが、「あの人の机まわり。いつもごちゃごちゃしているね」と後ろ指を指されたくないと考えているはずです。ならば、客観的に、他人事として自分の机を眺めてみることです。書類が捨てられないと嘆く前に、他人の目として自分の書類を見つめ直し、仕事をする上で不要な書類はどれかを検証していくのです。書類の整理が苦手な上司だと、部下への「机まわりの整理・整頓」という号令にちっとも説得力はありません。机まわりでは、引き出しが「見えない収納」、足元が「見える収納」となるでしょうか。となれば、机の上は、「見せる収納」に当たります。デスクの上の収納率を1割以下にできるかどうかで〝自己検証度〟の深さが測れると思います。』

身の回りの整理・整頓の話ではありますが、このような作業を日常的に行うことは、モノやコトの要・適・快を判断する目を養う訓練になり、検証する力がつき、モノやコトを「断」つ、「捨」てる、「離」れるを、自在に使いこなすことができるようになっていきます。このような行動によって養われた能力は、物事の本質を見極める「俯瞰力」となって仕事の様々な場面で活かされていくようです。

年末の大掃除も、やるからにはイヤイヤやるのではなくて、「自分の俯瞰力を養う訓練」と位置づけるなどして、効率的に取り組むことをお勧めします。かく言う私も、大掃除は気が重いのですが、今回からは意識を変えて取り組もうと思います。

心の掃除のうまい人

精神科医の斎藤茂太さんの『「心の掃除」の上手い人　下手な人』という著書の中に「『楽しいこと』なら、がんばり過ぎもＯＫ」という一文がありましたので、紹介します。

『自分を成長させたり、人に評価されたりするためには、苦しみや、つらいことを乗り越えることが必要だ、と思い込んでいる人もいるが、はたして、苦しんだ経験がなければ、人は幸せになれないのだろうか。歯を食いしばって苦しみに耐えなくては、いい仕事もいい人間関係も築いていけないものなのだろうか。そういう観点でも、自分を見直してほしい。演歌歌手や小説家は「実際に苦労した経験がなければ表現できないこと」もあるだろうが、一般人は苦労はし過ぎない方がいい。がんばり過ぎないほうが、幸せに見える。安易な道を歩んだほうがいいというのではなく、人生には「大変だなあ」とか「がんばらなくては！」と悲壮感を漂わせる時間は少ないほうがいいという意味だ。仮に二十歳から六十年間、経済的にも恵まれず、発明の研究をしてきた人がいるとしよう。八十歳で大発明をして、富と名誉を手にした。しかし、翌年には老死。この発明家は幸せだったのだろうか。それはわからない。苦労し、がんばり過ぎたとしたら、不幸だったろう。しかし、本当はこの六十年間のほうが、報われた最後の一年間よりも幸せだったのかもしれない。それは、傍から見ていれば「がんばり過ぎ」に思えることも、本人にはとても楽しい時間の場合がよくあるからだ。みなさんには、ここを考えてほしい。楽しいと思っていることは、どんどんやってもかまわない。健康を害さないことと、周囲に迷惑をかけないことに注意すれば、ちょっとやり過ぎてもいい。けれども、楽しくもなく、やりがいもないことを「がんばらなきゃ」という思いだけで、がんばり過ぎるのはやめよう。わずかなお金や成功、名誉や評価のために、長い時間を苦労に費やしては人生は面白くない。がんばっているうちに情熱がわいてきて、日々楽しくなるようなことにエネルギーを使い、時間を使っていく。これが人生を楽しむコツだ。がんばり過ぎかな？　そう感じたときは、こう考えよう。「私にはほかにがんばりたいことはないのか？」と。』

同じことをやるにしても、「非常に難しい仕事だから、ここ一番辛さを乗り越えてがんばって立ち向かおう」と思うのと、「やりがいのある興味深い仕事だから、楽しんで取り組もう」と思うのでは、精神的な負担がかなり違うし、その結果、仕事の効率にも違いが出てきます。私が毎年、年頭の挨拶で「明るく楽しく仕事をしよう」と皆さんに呼び掛けている理由は、この点にあります。人は、楽しいと思ってやる気を出せば、2倍くらいの仕事量は簡単にこなすことができます。

では、どうやって、自分の気持ちを前向きにコントロールするかですが、これは個人個人で差があります。「心の掃除の上手い人」もいれば「下手な人」もいるわけです。私は、難しい局面に出くわしたときは、意識的にネガティブな言葉を使わず、「これは楽しいことだ」とか「非常に面白い」などとポジティブな言葉を口に出すようにしています。人は、一旦言葉に出すとその言葉が正当化されてしまうようなところがあるので、消極的な言葉を口に出さないことが重要だと思っています。

そうは言っても、身の回りには消極的な話も伝わってきますね。「技術士を取らなければ昇格させない」もその一つです。関係者のモチベーションを確実に下げる表現です。このような言葉は、自分自身の心の掃除のやり方で、はねのける必要があります。「試験を受けさせてもらえるなんて有り難いことだ。また、この機会に興味のある勉強もできる。早速、本屋に行って関係する本を買い、今後の受験計画を立てよう。ワクワクしてやる気が湧いてきたぞ。今年は、この資格試験にチャレンジできて幸せだ」ぐらいの精神状態に自分を持っていっていただきたいと思います。

時間規律雑感

「日本人には時間を守る人が多い」というのは、外国の人々からも言われることでもあり、事実だろうと思います。ビジネスでは、「時間厳守」は最も基本的なルールであって、「約束を守る」、「契約を守る」ための一つの重要な要素だと思います。社会の中では、通勤電車や新幹線が定時に運行し、宅配便が指定時に配達されるという状況になっています。では、日本人には昔から時間を守る習性が身に付いていたかというと、どうもそうではないようです。幕末に来日したお雇い外国人のウィレム・カッテンディーケが「日本人は時間を守らない」と不平をこぼしたという記録があります。したがって、その後一世紀あまりの間に日本人は時間を守るようになったということです。

明治時代に入ると、鉄道、工場、学校といった新しい制度が登場し、それらの場所では比較的速やかに時間規律が定着していきました。しかしながら、戦前は、それ以外の私的な領域では時間規律は定着していませんでした。時間規律が、日本人個人個人の中に定着してきたのは、戦後になってからということです。現代人は時間に追われています。社会のあらゆる場面で、時間の効率的利用が強く求められています。このような社会の「加速」の問題は、時間規律の定着とは必ずしも同一の問題ではないのですが、密接には関係しているようです。１９５０年代から70年代の高度成長の時代に大いなる社会の加速が生じたことは明らかです。１９７０年頃には「日本人よ、せかせかするな」という標語がありました。ということは、その頃には「時間に追われてせかせか行動すること」が日本人に定着していたのだろうと思います。

そして21世紀になった現在では、「携帯電話の普及は遅刻を終焉させた」などと呟かれたりもしますが、様々な新しい技術の登場が人々の時間利用方法にも変化をもたらしています。コンピュータを使った株取引など多くの分野で経済社会の加速化が進む一方で、資源枯渇や地球温暖化が懸念されていて、有限な自然資源の消費速度をできるだけ遅くしていくことが強く求められています。「経済力を維持するスピードを保ちつつ、スピード社会で忘れられがちな長期的視野を回復し、自然資源消費と温暖化の速度を緩め、幸福をもたらす時間利用法を考案する」という課題に我々は直面しているのではないでしょうか。

「時間を守ること」は、どのような時代であれ普遍的に大切なルールであり、近代社会になって、時間厳守が日本人に定着したことは良かったことだと思います。一方、スピード社会には弊害も多くあることは認識しておく必要があります。設計部の仕事を見て思うことは、「考える時間が減少している」ということです。私が新入社員の頃は、大型計算機（この名前も懐かしいですが）でＪＯＢを流すと、結果がプリントアウトされるまで時間がかかったので、その時間を利用して、プログラムのデバッグをしたり、次の作業のことを考えたり、専門書で勉強したりできました。このような時間が成果品の品質確保や技術力向上にも役立ったと思います。それが、現在では、大抵の計算は机上のパソコンで、ほとんど時間がかからずに結果が出てくるので、コンピュータが計算している最中でも考えたりする時間的な余裕がありません。効率化で失われる重要なものは、意識的に補完するように心がけなければならないと思っています。

夏の汗

中国へ返還される前後の2年間、香港に暮らしたという作家の星野博美さんは、「香港の夏で思い出すのは、路地に漂う異臭と、男たちの肌に浮かぶ玉の汗」だと言います。星野さんは次のように続けます。

『ここ数年東京の夏を辛く感じ始めている。辛いのは暑さより、暑さを克服しようとする文化なのだと思う。腐臭のしない路地。清潔な衣服を身にまとい、酷暑の中でいつも通り勤勉に働く人々。ドラッグストアの店頭でおどる制汗、即感クール、デオドラント、涼感、崩れにくい、皮脂吸収、の文字。虫来るな、汗出るな、臭うな、日に焼けるな、化粧は崩れるな、といった「夏は拒否!」のメッセージ。その一方では熱中症になる人が後を絶たない。暑さは克服できない。抵抗しようとすればするほど牙をむく。私達はそろそろ、夏の恐ろしさを体で学ぶ時期に来ているのかもしれない。』

私が子どもの頃は家にクーラーがなかったので、暑さの克服方法と言えば、風通しの良い部屋で汗をかきながら昼寝をすることでした。ところが、最近は、先日まで暖房を入れていたと思ったら、もう今度は冷房を入れ始めたというような生活をしています。こんな生活が続くと、人の身体も気温変化に対する適応能力が低下していくのではないかと思います。また、体臭や汗の臭いを抑える制汗剤などのデオドラント用品は、使い続けるとおそらく人の身体に悪い影響を及ぼすように思えてなりません。体臭は人によって違うので、犬が嗅ぎわけるように人を識別する要素となっていますが、それが薄まってくると何か不都合なことが起こってくるような気もします。

海外で暮らしていると、日本にいる時とは比べものにならないほど様々な臭いに出くわします。体臭もその一つで、日本人と比べると欧米人には臭いが強い人が多いと思います。ですが、欧米人から体臭の話題を聞いたことがありません。また、台湾で仕事をしていたときも、色々な人がいました。ただ、その人と一緒に一生懸命仕事をしていると体臭など些細なことは気にならなくなってくることがわかりました。日本にいると井の中の蛙になりがちで、変な文化や間違った常識に惑わされることがありますが、体臭に関しては肌の色と同じことで、世の中には多種多様な人々がいることを認識して、決して臭いなどで人を区別しないことが、国際人の基本であると思います。

22年前に台湾へ初めて行ったときは、牛肉麺に載っている香草の臭いがいやだなと思いましたが、台湾に行く回数を重ねているうちにその臭いにも慣れてきて、いつの間にか香草を追加注文するようになっていました。台湾の松山空港に着いた時に香草の臭いがしてくると台湾に到着した実感が湧いてきます。人もそうですが、このように街にも独特の臭いがあると思います。とはいえ、耐えられない臭いというのもあります。以前パリのデパートに入った途端、むせかえるような香水の匂いにいたたまれなくなって、直ぐに外へ飛び出したことがありました。その時は、こんな人工的な臭いを造らないで欲しいとつくづく思いました。

一年で一番暑い時期ですが、皆さんも変な文化に惑わされることなく、たまには沢山汗をかいて、人間らしい時を過ごしてみるのもよいのではないでしょうか。

オフのイベント

先週は雨の日が多かったですが、台風27号が去って、絶好の行楽シーズンとなりました。先日、中学時代の友人たちと神奈川県の大山へ行ってきました。紅葉にはまだ早い時期でしたが、ハイカーも多くてこれからハイシーズンになるとすごく混雑するのだろうと思いました。伊勢原駅からバスとケーブルカーを乗り継いで、まずは阿夫利神社下社へ行きました。そこから1時間半かけて400m程登れば本社（奥の院）があるのですが、さすがにそこまで登る自信がないので、見晴らし台までのハイキングを楽しむことにしました。それでも清々しい空気を吸い、相模湾や伊豆大島を遠望できる眺めを満喫して、十分にリフレッシュすることができました。

私の家の近所の神社に、１８３０年頃にその神社の氏子達が大山参りをしたという石碑が残されています。江戸時代は、「大山参り」というのは大きなイベント（観光旅行）だったのだろうと思います。皆が毎年行けるわけではなかったでしょうから、村の代表が皆から餞別をもらって出かけて、そのかわりにお土産を買って帰ったのだろうな、などと想像します。大山の麓の伊勢原の町へ行くまでも長い道のりですが、現在の伊勢原駅から大山山頂まではずっと上り坂ですし、折角来たのだから当時の人は本社まで登ったのだろう、また当時は今のような歩きやすい履物はなかったから山道はきつかっただろうなどと考えると、昔の人は足腰が達者だったのだろうと想像が膨らみます。

また、先々週は第75回の土設コンペが開催されました。40年近く続いている伝統ある設計部の行事ですが、最近は若手が気軽に参加してくれていて嬉しい限りです。ゴルフは、ルールやマナーが身に付いて自然体で振る舞えることが重要ですが、それにも増して一番大事なことは自分自身が楽しむことです。自分が楽しめば、同伴プレーヤーも楽しい気分になり、皆でエンジョイすることができます。今後も土設コンペを継続させて皆さんと共に楽しい時間を過ごしたいと思います。

来週末は、いよいよ部の旅行会になります。幹事の皆さんには色々と段取りをしていただいて、ありがとうございます。この旅行会も設計部の伝統行事の一つで、ひょっとすると土設コンペよりも長い歴史があるのではないでしょうか。参加するからには、これまた思う存分楽しんで、皆さんと親睦を深めたいと思います。都合が悪くて残念ながら参加できない方々には、また次回のイベントで楽しんでいただきたいと思います。

このようなオフのイベントは心身ともにリフレッシュさせてくれて、仕事への活力を与えてくれます。「仕事は厳しいから、せめてオフの時間は楽しいことをやりたい」と思っている人がいるとしたら、それはちょっと違います。仕事とオフの活動では、楽しさの質は違うかもしれませんが、どちらも楽しめる活動であることに変わりはありません。年頭の挨拶などで時々皆さんに伝えていますが、「楽しくなければ仕事じゃない」という気持ちで業務を捉えていただきたいと思います。その心の持ちようを実現するためには、自分は何をするべきかといったことも考えてみて下さい。

思い込みによる間違った判断

人は、先入観や思い込みで、間違った判断をしたり差別をしたりすることがあります。事実をしっかりと把握して、自分の価値観で物事を判断したいものですね。名古屋大学の森郁恵教授が「固定観念としての男性や女性のイメージ」について書いている文章が目にとまりました。彼女が小学生の頃気になっていたのが「ピンクとブルー問題」だと言います。教師が、子ども一人ひとりの好みを聞くこともないまま、男子にブルー、女子にピンクの教材をあてがうのに疑問を持ち、本当はピンクが好きだけど、「私はブルーが好きだから、ブルーの裁縫箱にして下さい」と先生に言ったそうです。男女で色分けされることに対して違和感を覚えた彼女のせめてもの抵抗でした。また、「生徒会長と副生徒会長問題」も指摘されています。男女共学の中学校や高校の場合、なぜか生徒会長は男子で副生徒会長は女子と決まっていて、教師も生徒も疑問に思わないという状況です。そう言えば、私が子どもの頃もそうでしたね。ただ、今はもうこの点は変わっているのではないかと思います。

このような思い込みで私が気になるのは、建設関係の先生方や企業の方の中に、時々「日本は外国に比べて技術力が高い」と発言する人がいることです。個々のケースで比較すると、一概には言えないと思いますが、平均的に言えば、この発言は正しくないと思います。まず施工技術について考えてみましょう。外国と比較する以上、海外工事が対象となると思いますが、その場合、日本の建設会社はその国の建設会社をサブコンに使ってプロジェクトマネジメントをする役割になります。比較すべきは、国際標準に従ったプロジェクトの遂行能力（工程管理、品質管理、クレーム処理、文書管理など）や英語による交渉能力・会議の運営能力になると思いますが、台湾新幹線での経験から言うと、欧米諸国や韓国・台湾の企業に比べて、日本企業は見劣りがしていました。次に、同じく典型的な国際プロジェクトだった台湾新幹線に参画していた設計会社の技術力を見てみると、欧米と台湾の設計コンサルの間にはそれほど技術力に差を感じませんでした。一方、日本の設計コンサルは技術力では欧米や東南アジアのコンサルに負けていると言わざるを得ません。そもそも日本の設計コンサルは技術力が不足しているから、台湾新幹線プロジェクトに参画できなかったのだと思います。ここで言う技術力とは、国際標準に基づいて迅速に設計できる能力、技術的課題を地元の産官学の力を使って解決できる能力、英語による交渉力などです。日本の設計コンサルは、海外での経験を積み重ねていかないと、その差はどんどんと広がってしまうのではないかと危惧しています。

東南アジアの国々で仕事をしている人の中には、日本人の方がレベルが高いと勘違いして、地元の人々に対して根拠のない優越感を持っている人がいます。また、職業の違いによる差別観を表してしまう人もいます。真に技術力を持って社会に貢献しようとするプロフェッショナルで、「職業に貴賤なし」という考えを身に付けている人格者なら、このような思い込みや差別意識を抑えて、国際人として活躍できるのだろうと思います。私達もそうありたいものです。一方では、ヨーロッパ先進国の一般の人々から見ると日本人のような東洋人はまだまだレベルが低い国民と見られています。このことはその国で暮らしてみなければ理解できない事実で、差別される側の立場になって初めてわかります。

私達の身の回りでも、根拠が希薄な話を真に受けて、思い込みで発言する人を時々見かけます。自分の目標や使命を自覚して、しっかりと行動していれば、そのような流言飛語に惑わされませんし、思い込みによるそのような発言や行動をとることもないと思います。

盆休みに向けて

今週末から盆休みですね。今年は、かなり久しぶりになりますが、部員全員が出勤せずに済みそうです。

皆さん、ご家族や友人と色々と計画を立てていらっしゃることと思います。存分に楽しんで、リフレッシュしていただきたいと思います。私は、ほとんど予定がありませんので、近い所でうろちょろすることになりそうです。

私が小学生・中学生の頃は、クーラーがあまり普及しておらず、我が家にもクーラーがなかったので、夏は風通しの良い部屋で扇風機にあたりながら、よく昼寝をしていました。最近の子どもたちとは違い、外で遊ぶことが多かったのですが、汗だくになった後の水浴びは気持ちが良かったですね。今ではエアコンは、人々の暮らしになくてはならないものになっています。人々は快適な温度に慣れてしまったのか、少しの温度変化に対しても「暑い」とか「寒い」とか言うようになりました。テレビでは、盛んに熱中症に対する注意を呼びかけています。昔も日射病で倒れる人はいましたが、「何人倒れた」などとニュースで取り上げたりはしていなかったと思います。熱中症で倒れる人は増えているのでしょうか？　気温に対する人間の抵抗力が徐々に低下してきているのではないかと感じる時があります。

盆休みはまとまった休みですから、普段時間がなくてできないことをやってみるチャンスです。仕事を離れて、じっくりと物事を考えたり、創作活動をしたりするのもいいですね。以前、京都嵯峨野の二尊院へ行った時に「心の糧七ヶ条」という配布物があったので、頂戴してきました。「じっくりと考える」題材として、それを皆さんに紹介しましょう。

一、この世の中で一番楽しく立派なことは生涯を貫く仕事を持つことである
一、この世の中で一番さみしいことは自分のする仕事のないことである
一、この世の中で一番尊いことは人のために奉仕して決して恩に着せないことである
一、この世の中で一番みにくいことは人の生活をうらやむことである
一、この世の中で一番みじめなことは教養のないことである
一、この世の中で一番恥であり悲しいことはうそをつくことである
一、この世の中で一番素晴らしいことは常に感謝の念を忘れず報恩の道を歩むことである

それぞれ、良いポイントが押さえられていると思います。私は、ここでいう「仕事」とは、単に当社に勤めているということではなくて、「プロの土木技術者として社会に貢献できる専門分野を持っている」ということだと理解しています。皆さんもこれらの一つ一つに対して自分自身を見つめ直してみてはいかがでしょうか。何か反省点が見つかり、改善しようという気になればいいですね。

熱中症をめぐる誤解

報道される統計データを鵜呑みにすると、事実と違う誤解が生まれるので注意が必要です。一例として、世間に流布する「熱中症をめぐる誤解」の主なものとその真実を紹介します。

①「熱中症も含めて高熱時には、おでこを冷やすとよい」

これは「ヒンヤリとして気持ちがいい」だけで、体温を下げる効果はありません。体を冷やすために効果的な場所は、首筋、わきの下、足の付け根の前側です。それらの場所には太い静脈があり、そこを冷やすと、血液が冷やされ、冷えた血液が静脈を通って体内に戻っていくので、体内も冷やしてくれることになります。

②「家の中に籠もっていると、熱中症になりやすい」

2010年7月の東京都監察医務院のデータでは、「死因は熱中症」と推定された異状死体のうち、96％が屋内で発見されたものでした。大半が、独り暮らしの高齢者が気づかれないまま亡くなっていたものでした。しかし、彼らが倒れたのがもし屋外なら、手遅れになる前に通行人が発見して助かっていた可能性があります。屋内で独りでいると、発見が遅れるリスクが高いということであり、熱中症そのもののリスクは、間違いなく屋外の方が高いのです。

③「熱中症は夜も危険」
熱中症の死者の死亡時刻の4割が夜間なので、「熱中症は夜も危険」という報道がありますが、熱中症の発生は圧倒的に昼間が多く、夜間はほとんどありません。昼に熱中症で搬送された患者が夜に亡くなったという例が多いだけです。

④「熱中症はトイレで発生する確率が高い」
「トイレは窓が小さく狭い上にエアコンもないから、熱中症になりやすい」という印象を与えますが、熱中症の発生率が高いのは、やはり過ごす時間の長い居間と寝室です。トイレは、熱中症が発生しやすい場所というより、熱中症患者が発見されやすい場所です。熱中症で気分が悪くなって嘔吐（下痢）のためにトイレへ行ったが、そのままトイレでぐったりしてしまうという例が多いということです。

統計データを見た時には、どのようなデータなのか、そのデータの母集団に偏りはないかなど、慎重に吟味する必要があります。

本質を見据えた価値観

同業他社と量の多さを比較することがよくあります。受注額、利益率、土木学会会員数、全国大会での発表数などです。利益率の場合は、他者と比較して、当社が低いようなら、その原因を解明し改善するというように、科学的な分析のデータになりそうです。これに比べて、今の時代に受注額を比較することの意味がよくわかりません。従業員数が違う、会社の得意分野も違う、というように、基盤となっている条件が違う中で、受注額という結果を比べても、それ以上の展開はありません。我々は、自分達が持っている技術力を遺憾なく発揮して、社会に貢献することを使命としているのですから、それぞれの分野で保有している技術者数に応じて、対応できる仕事量には限界があります。その対応能力によって自ずと仕事量が決まってきますから、適正な受注額は各社でばらつくことは自明の理と言えます。土木学会会員数を比較することも意味がありません。そうではなくて、土木学会でこのような活動をすれば、このようなメリットがある、社会に貢献できる、ということをしっかり伝えることが重要です。私は、土木学会の会員であることのメリットは、「会社では到底できない仕事を実現できること。様々な分野の方々と一緒に活動ができ、人脈を広げられること」だと思います。信頼性設計の分野では、15年ほど前からLife Quality Indexという指標が議論されています。単に事象の生起確率だけにとらわれるのではなくて、本質を見据えた意思決定の指標を見出そうとする試みです。

以前、ある日本の新聞社の人をドイツ人に紹介した時のこと、その新聞社の人は「販売部数が1000万部以上で、日本一の新聞社です」と誇らしげに自分の会社を紹介しました。それに対してそのドイツ人は「あなたの新聞社は大衆紙を発行しているのですね」と納得した様子でした。ドイツでは、販売部数が多い新聞は、芸能人・スポーツ選手・政治家などの有名人のゴシップを多く扱う大衆紙です。一方、インテリが読む新聞は、あまり発行部数は多くありません。バイエルン州で一番レベルの高い新聞は『南ドイツ新聞』ですが、発行部数は40万〜50万部です。それに対して『ビルト』というタブロイド版の大衆紙の発行部数は約３５０万部もあります。私もこれに似た経験をしたことがあります。初めてドイツに行った時に当社を紹介する場面で「売上高が日本一で世界でも有数のゼネコンです」と説明したことがあります。相手のドイツ人はピンとこない様子で、「A社とB社は橋梁の建設で知っているが、あなたの会社はどのような分野を得意としているのですか？」と聞いてきました。この時、「価値観が違う」ということを体感し、それ以降、特に外国人には、相手の考えを理解するように努め、自分の価値観を押し付けないように気をつけるようになりました。本質を捉えている価値観なら、違う文化を持つ人々にも通用するのでしょうが、意味のない価値観を披歴しても理解してもらえません。

新聞と言えば、最近、『朝日新聞』の「吉田証言」「吉田調書」に関わる報道が大きな話題となりました。今までに何度か『朝日新聞』の海外欄で、ドイツの『ビルト』紙の引用記事が掲載されているのを目にしたことがあります。『日本経済新聞』が「『夕刊フジ』によると……」という記事を載せるようなものです。そんな記事を鵜呑みにする人はほとんどいないと思いますが、「『ビルト』紙はタブロイド版の大衆紙である」というような事情を知らない日本の読者は、その『ビルト』紙の記事の内容を信じてしまうかもしれません。新聞記事を読むときは、事実だけを読み取る力が必要だと思います。新聞の統計データを見る時には、「統計データに偏りはないか」「サンプル数は十分か」「データの解釈は妥当か」など、特に気をつける必要があると感じています。

11

国内トピック

事業領域の拡大

「建設投資が減少して、建設業界のパイが縮小している」ということを前提に話をする人がいますが、それはどうも間違った捉え方ではないかと思います。確かに従来の建設だけを見ると国内投資額は減っているのですが、当社の活動範囲は建設だけにとどまっているわけではなくて、周辺分野にまで拡がっています。たとえば、最近話題になったPFI事業では、建設の請負額は400億円程度ですが、PFI事業費は2400億円程度になります。また、当社では、物流システムの提案や工場のラインの品質管理の技術支援などもやっています。このような周辺分野の仕事は増えてきているので、「国内の建設投資は減っているが、当社の活躍できる範囲と仕事量は増加している」というのが正しい現状認識だと思います。したがって、「国内で仕事が減っているから、海外の仕事を増やす」というのは、現状を正しく捉えていない認識だと思います。

建設の部分だけでは収益が上がらないのが現状ですが、建設の前段階と後段階のプロセスでは建設プロセス以上の収益を上げている企業があるのも現実です。後段階のプロセスでは、たとえば、セコムなどの警備保障ビジネスがあります。建設会社が住宅を建設した後に乗り込んできてビジネスをし、高い収益を上げているわけです。事業領域拡大を検討する際には、このような建設周辺領域を取り込んで収益を改善することも視野に入れる必要があります。

さらに、新規事業分野の開拓をして事業領域を拡大することも重要です。この点に関しては、何社かにヒアリングして、なるほどなと感じるところがありましたので、また後日のWeekly Mailでご紹介することにします。

ANGAS実証試験

現在、天然ガス高圧貯蔵の実証試験を実施中です。皆さんもご存知のＡＮＧＡＳ（Advanced Natural Gas Storage）というプロジェクトでして、応用解析ＧのＮ課長が設計責任者としての責任範囲を超えて活躍しています。飛騨の山奥、富山県との県境の神岡鉱山の坑道の奥に試験貯槽を施工し、実施しています。同じ山には小柴教授のスーパーカミオカンデがあります。

昨年、試験貯槽を施工しましたが、岩盤亀裂を避けるための位置変更、岩盤掘削精度の問題、貯槽背面部の配筋の難しさ、コンクリート打設上の問題などに直面しました。その都度、社内関係各部署が問題を解決し、昨年末、ようやく貯槽が完成しました。

この実証試験は、実機で計画している20 MPa（２００気圧）という高圧ガスを安全に貯蔵できることを実証することが目的です。そして、1月27日にまず水圧で20 MPa加圧する試験が行われました。試験は朝8時から行われ、1時間ごとに2 MPaずつ加圧していき、夕方6時40分に20 MPaに到達しました。その後、加圧バルブを閉じて、翌朝10時まで放置しましたが、圧力は殆ど低下しておらず、周辺岩盤の変位も収束している状況を確認しています。したがって、試験は無事成功したということです。

20 MPaという圧力は、水頭２０００ｍですが、国内で岩盤内でかけた最高圧力、日本新記録です。従来の記録の2倍以上になります。2月には、いよいよ気体で20 MPaかける試験が行われますが、今回水圧で20 MPaを経験したので、貯槽は同様の挙動をするものと思われます。

また、光ファイバーを使った計測としては世界最先端のハード＋ソフトを使っているので、膨大なデータを短時間で精度よく計測していることも特筆すべきことです。

20 MPaに到達した時は、立ち会った全員が達成感を共有することができました。

地方で活躍する大学の先生

先週の金曜日に香川大学工学部を訪問し、親しい先生2人と色々な話をしました。いつもは、東京でお会いすることばかりなのですが、地元の高松ということもあり、先生方からは普段は聞けない本音の話を聞くことができました。

香川大学に工学部ができたのは9年前なのですが、学生の人気はあまり高くなく、今年の入試でも倍率がやっと2倍を超えた程度だったそうです。志望する高校生を増やすために、地元の高校に行って大学の説明会を行ったりしているそうです。子どもの数が減ってくると、国立大学でも大変なのだなと感じました。

地方の国立大学ということで、国交省や香川県の建設工事の発注においては、技術審査の委員として参画しなければならないそうで、国交省を担当している先生の方は、大体月に5日くらいはそんな仕事に時間を割いているとのことでした。幸い今までは簡易型ばかりだったので、審査も「確認するだけ」の簡単なものだったそうですが、「高度技術提案型」などの時間をとられる案件がきたらどうしようかと心配されていました。もう一人の先生は、香川県の発注業務の技術審査の他にも、いくつかの委員会（市長、四国地方整備局長、県議会議員などが委員）の委員長をされているそうで、こちらもかなりの時間を割いているそうです。

このような仕事に加えて、工事中にたとえばコンクリートのひび割れの問題などが起こったら、現場へ行ってコンサルティング業務を行うことも多いそうです。先生がおっしゃるには、四国には現場の問題をすぐに判断できる技術者が少ないので、大学の先生も対応しているのだとか。地方の国立大学の先生は地元の技術面のトップの立場であるとともに、実務者としても活躍していることを認識しました。先生方がおっしゃるには「地元のために貢献していることが実感できてやりがいがありますよ」とのことでした。

先生方のお話を伺って、自分の専門分野の高い技術力を持ち、その技術力を発揮して、周りの人々からプロフェッショナルとして認められることが、モチベーションを高めることにつながることを再認識した次第です。

竹中平蔵さん

先週、東京ビッグサイトで開催されたITPRO EXPO 2008に行ってきました。ＩＴ関係の展示会なのですが、私の目当てはＩＴではなくて、竹中平蔵さんの「改革への戦略と人的資源」という講演を聴講することでした。1時間の講演でしたが、内容はもとより、話しぶりも非常に参考になり、本当に聴いてよかったと思いました。今週は、竹中さんの講演のエッセンスを紹介します。

まず、改革には必ず困難が伴い、全員が満足する改革はないという話から始まりました。一旦改革が収まると、その恩恵を受ける人々は改革成果が当たり前のことのように思い、改革推進者が改革中に困難を克服してきたことなどは忘れてしまうようです。そのことをゴルバチョフは「改革者は皆不幸である」と表現したそうです。改革はreactiveな改革とproactiveな改革に分類されます。不良債権処理のように、どうしても成し遂げなければならない改革がreactive（受身）な改革で、郵政民営化のような攻めの改革がproactiveな改革です。

次に、改革に必要な要因は二つであるという話でした。一つは改革を推進するリーダーの熱い思い（passion）であり、もう一つは「戦略は細部に宿る」ということです。改革に当たっては、必ず反対勢力が登場しますが、それに立ち向かうためには、細部の戦略を操る人がpassionを持ったリーダーの周りにいることが必要だと強調されました。ここでいう戦略とは、単なる知識のことではありません。幅広い視野を持ち、深い知識を駆使してaction planを立案するようなことを指しています。熱い思いを持って改革に取り組んだ小泉首相の傍らに戦略を立案実行した竹中大臣がいたという構図でしょうか。

竹中さんは慶應義塾大学教授ということもあり、福澤諭吉が「国を支えて、国に頼らず」という理念を『学問のすゝめ』に著したという話をされました。『学問のすゝめ』は、人口が３５００万人の当時、３００万部を超える大ベストセラーです。「国を支えて、国に頼らず」とは言い換えると「国民一人ひとりが自立する」という考え方ですが、当時の人々は、そういう考え方を勉強していたということで、現代の人々も学ぶべき点であるとのことです。

最後は、もの造りがGDPに占める割合は4分の1程度であり、後の4分の3はサービス業であるという話でした。もの造りだけでは経済成長は見込めず、サービス業を強化していくことが効果的だということです。サービス業はまだまだ質を高めていく余地が多く、今後伸びるのは情報系と金融系だということです。ただし、サービス業もちゃんとした技術の基盤があって初めて成り立つものであるとのことでした。

1時間の講演でしたが、終始話のペースは変わらず、強調するところはジェスチャーも交えて強い声を使い、面白いエピソードでは笑顔と間を使うというように、聞き手を飽きさせない話術には感心しました。恐らく、手元に箇条書きをしたメモがあるだけで、すべて草稿なしの講演でした。さながら、一流の指揮者による一流のオーケストラの名演奏を聴いたような余韻を持って会場を後にしました。

Bill Gates

先週、「Microsoft Premium Forum for Business Leaders」という講演会に参加しました。５人の方々の講演でしたが、目玉はMicrosoft社のBill Gatesの講演でした。５００名程の参加者でしたが、恐らく参加者のお目当てはBill Gatesの講演だったと思います。今回のWeekly Mailは、Bill Gatesの30分の講演内容や私が感じたことなどを紹介します。

まず、Bill Gatesの第一印象ですが、普通のアメリカのビジネスマンという感じです。身長は１８５㎝くらいでしょうか、少々猫背でした。彼の話し方は歯切れがよくて、わかり易い英語でした。講演のテーマは、「10年後のビジネスシーンはどうなっているか」というもので、今後10年のハードウェアの変化はmicro processorのパワーアップによるところが大きいだろうとのことでした。一方、ソフトウェアの開発の基本原則は、variationを減らし、出来るだけsimpleにするということで、一つのパッケージで標準ツールを完備したいという話でした。これら、ハードとソフトの開発が目指すものは、business productabilityの向上であり、①unified communication、②social computing、③enterprise search、④business intelligenceを支援していくということです。

Bill Gatesは昨年の10月に、「10年後のビジネスシーンはどうなっているか」をイメージできるビデオ制作を社内で指示したそうで、そのビデオの紹介がありました。自動車の設計・試作・計測検査などを題材にした5分ほどのビデオでした。ビデオはまず会議のシーンから始まりました。会議室には大きなテーブルがあります。出席者の一人が、手書きのスケッチをそのテーブルに伏せると、スケッチがテーブルに複写され、複写されたスケッチは人の手でテーブルの中を自由に移動できます。向かいの席に座っている人が自分の前に持ってきたスケッチに平面状のパネルをかざすとそのスケッチがパネルの中に取り込まれます。そのパネルにはスタンドがついていて、テーブルの上にパネルを立てると、立てたパネルと自分との間のテーブルにキーボードが現れ、パソコンとしての操作ができます。また、アメリカと中国（?）のオフィスで、壁に組み込まれたテレビ電話と3D CADの車体が映し出された画面を使って、デザインの打ち合わせをしているシーンがありました。さらに、工場での製作過程や試作車を走らせて、リアルタイムにシートにかかる圧力などを計測しているシーンも映し出されました。これらの映像に登場するハード・ソフトは、Microsoft社で既に開発中のものばかりだということです。自然なuser interfaceを作るということで、テーブルや壁に組み込まれた多機能のタッチパネルの開発に力を入れているように思いました。

ビデオの後はdigital life styleの進化に関する話がありましたが、「businessの効率や生産性を上げる」という目的が明確で、その話しぶりからは強い意志のようなものを感じました。

Bill Gatesは、近々Microsoft社の第一線から退き、ゲイツ財団を通じて、世界で貧困や病気で苦しんでいる人々のためにも、その財を還元しようとしているそうです。

設計コンサルタント業務

先週、ある設計コンサルで、主として橋梁設計を担当している部長と話をしました。まず、設計ミスの話です。その人が大阪在住の人なので、国交省近畿地方整備局のデータですが、設計ミスと呼ばれる件数が平均で年間６００件以上あるそうです。1業務あたり20件程度だそうです。その中で、重大なミスが４割程度あります。重大なミスとは、応力解析のやり直しを伴うもの・許容値をオーバーしているもの・構造計算書がないものなどです。このような設計ミスは、設計した設計コンサルとは別の機関が設計点検（クロスチェック）をして見つけたものです。ですから、表には出ず、未然に防止された設計ミスのことです。とはいえ、設計ミスを少なくするために、ペナルティーを付加する仕組みが登場しています。まず、ミスの内容に応じて、個々のミスに点数をつけます。そして1業務のミス点数の合計点に応じて、成績評定が減点されていきます。成績評定が60点を下回ると指名停止処分となります。

ここで、重要な役割となるのが、クロスチェックだと思います。クロスチェッカーは、指名競争入札で選ばれる設計コンサルが行う場合と、○○協会などが行う場合があります。当然、クロスチェッカーには守秘義務が課せられていますが、設計者のコンサルに対して、恣意的に設計ミスを多く指摘することがないとは言えないそうです。

次に聞いたのは、設計コンサルタント業務にも総合評価方式が導入されている話です。設計コンサルタント業務で初の総合評価落札方式が試行されたのは、品確法が施行された後、平成17年12月です。平成19年には、25件の追加試行が実施され、今年の5月に総合評価方式の包括協議が成立し、本格導入されることになりました。評価方法は、加算方式で、価格：技術＝1：1〜3だそうです。この総合評価方式は、「高い知識または創造力・応用力を評価することで質の高い成果が得られる可能性がある業務」に適用すべきものとされており、プロポーザル方式や価格競争方式と合わせて、業務分類を整理した上で、それぞれについて適切な調達方式を再度検討する必要があるそうです。

その設計コンサルが現在対応している総合評価方式の橋梁案件の話を聞きました。最初の応札は20社くらいで、1次審査をパスしたのが5社、1次審査結果を受けてから最終書類を提出するまでの期間が1週間しかないそうです。提出書類作成に当たっては、現地調査なども行うそうです。その設計業務を請け負ってから完了するまでの期間は210日以内です。物にもよりますが、橋梁の詳細設計の期間は、大体3〜7カ月だそうです。その設計料は、たとえば、上下部一体3径間連続PC橋（橋長140m、幅員25m）で、1億円弱とのことです。

そんな話とともに、「技術者の社会的立場」「技術者としての責任」「設計者としての役割」が不明であり、多くの専門的な能力を必要とされる職業であるにもかかわらず、それに見合った支払いがなされていないのが現状であり、技術者のモチベーションアップを議論する上では、重要な課題の一つだ、というような話をした次第です。

防衛大学校の教授達

先日、信頼性設計技術ワークショップが防衛大学校で開催されました。その時に、防衛学を専門とする二人の教授のお話を伺いました。めったに聞けない話ですので、皆さんに紹介したいと思います。お二人は、大坪義彦教授（1等陸佐）と太田清彦教授（1等陸佐）と言い、私と同い年の方々です。

大坪教授は、東ティモールへ国連平和維持軍の工兵部隊として派遣された時の話をされました。東ティモールは1976年にポルトガルの400年に及ぶ植民地支配から、インドネシアの支配下になり、2002年に191番目の独立国として国連から承認されました。独立したとは言っても、自力では殆ど何もできないような状態だったこともあり、国連の平和維持軍が派遣されました。平和維持軍は4中隊に分かれていましたが、大坪一佐は、その中の工兵隊700名の中隊を隊長として率いた方です。この中隊はJapan Engineer Group（JEG）と呼ばれていました。仕事の内容は、道路を造る、橋を架ける、水道を通す、陸上競技場を整備するなどのインフラ整備でした。ご存じのように、当時の東ティモールは、爆弾テロもあり、治安の悪い状態でした。そんな中で、大坪隊長の方針は、「害を及ぼさない」「友好的で理解を示す」ことでした。活動の先々において、地元の人々と運動会やお祭りなどのイベントを実施し、信頼を得ていったそうです。それとともに、最新の重機を使った高度な土木工事によって、日本隊の技術力は高く評価され、感謝されたそうです。東ティモールを離れる際には、「私たちの母国である東ティモールを大事にしていこう」という趣旨の歌をプレゼントし、その歌が皆に歌われるようになっているとのことでした。大坪教授は、PKO活動の本質的目的は「信頼性」（万が一にも害を及ぼさない）である、とまとめられました。

もう一人の太田教授は、第5次復興支援群長として、イラクで活動した方です。当時の守屋次官に依頼されて、行くことになったそうです。その活動は、イラク特措法で規定されており、人道支援と安全確保支援を行うものです。太田群長率いる自衛隊の支援活動は、医療支援、給水支援、道路等の復旧・補修活動でした。医療支援というと、患者を診察したり、薬を処方したりするのかと思いますが、日本の派遣隊はイラクの患者を一人も診察していません。日本隊がやったのは、救急車の援助、救急隊員の養成、最新医療機器の設置と使用方法の教育です。イラクの病院に設置されている医療機器は、30年以上も前の古い機器で、メンテナンスもされておらず、早急に新しい機器を導入する必要があったそうです。その活動計画を立案したのは、テロで死亡した奥氏であり、2年後輩の彼の遺志を継いで活動したとのことでした。実際の活動は、順調に行ったわけではなく、全てが試行錯誤の連続だったそうです。太田教授が話の最後に強調されたのは、「その土地の歴史と文化へのsympathy」の重要性でした。

もう一人同い年の防衛大学校の香月智教授には、浦賀から横須賀辺りの話をいくつか伺いました。

①ペリーが浦賀に来たときは、それ以前の難破船の情報などから浦賀までの航路の情報は持っていたそうです。そして、次回の日本攻撃に備えてペリー率いる部隊は、浦賀から横須賀付近まで水深などの調査を実施したのです。その様子を見て、江戸幕府は、砲台を据えるためにお台場と馬堀海岸沖に三つの海堡を築造したそうです。
②第二次世界大戦時には横須賀に日本海軍の基地がありましたが、戦後その基地を米軍基地として使うために米軍はその基地を攻撃しませんでした。現在、その基地は米軍の第7艦隊指令本部が置かれる基地となっています。
③防衛大学校の候補地としては、現在の横須賀市走水の他に江田島の海軍兵学校跡などがあったそうですが、現在の場所に決まったのは、ペリー来航の浦賀に近いこと、ゴルフ場の計画地だったので変更が容易だったこと、そして、一番の決め手になったのが、「富士山が見えること」だったそうです。

私と同い年の方々が、違う分野で活躍されている様子を知るにつけ、自分が活動している範囲の狭さを実感するとともに、視野が拡がるのを感じます。来週は、お盆休みです。普段とは違った体験をして、脳内もリフレッシュしたいですね。

集中豪雨

山口と福岡の集中豪雨が連日ニュースで報道されています。福岡市では時間120㎜という想像を絶する豪雨となっています。何年か前に福岡市のビルの地階へ水が流れ込んで死者が出たことが思い起こされます。先日、土木学会主催で「性能設計における作用　講習会」が福岡で開催され、私も講師の一人として、各種作用の話をしました。その中には降雨作用も含まれていたのですが、「降雨量の特性値は、発生確率・再現期間・地域特性を十分勘案して設定する。そのためのデータベースとして、確率降雨量マップなどがある。しかし、近年多発している都市部のゲリラ豪雨などはこのような統計データ通りとは言い難い」などと説明した矢先の出来事でした。

一昨日、水文学が専門の大学教授と話をする機会があり、「最近多発している豪雨で降雨量の統計データを見直す必要はありませんか?」と質問したところ、「実は過去の統計データに影響を与えるようなデータにはなっていないんですよ」という答えでした。その教授が続けて言うには、「我々が習ったころには、日本の平均降雨量は年間1800㎜程度でしたが、平均降雨量のトレンドは明らかに減少傾向にあり、現在は年間1700㎜と教えている」とのことでした。平均値は減少し、標準偏差は大きくなっているということでしょうか。

私は2回豪雨を経験しました。1回目は、昭和42年の7月だったと思いますが、広島県の呉市の小学校に通っていた時です。我が家は灰ヶ峰という山の麓の斜面にありましたが、消防団の人が「水がくるぞー！」と叫んだ直後に、裏山から濁流がものすごい勢いで流れてきて、我が家の床下は泥だらけになりました。いわゆる鉄砲水ですね。その夜は小学校へ避難して一夜を過ごしました。30分で70㎜を超える記録的な豪雨でした。その集中豪雨で、呉市内では多数の人が亡くなりました。家の床下の泥を出すだけでも大変な作業でした。

2回目は台湾です。15年くらい前だったと思います。ＬＮＧ地下タンクの底版コンクリート（直径70ｍ、厚さ5ｍ）を打設している時にその豪雨はやってきました。7時間で３７０㎜というとんでもない雨でした。当然コンクリート打設は中断。現場近くの養殖池が全てつながってしまい、大きな池になっていました。道路はいたるところで冠水し、どこが道路かわからない状態でした。高雄市内のアンダーパスは冠水して全く使えず、ホテルは停電です。その時の雨量は1週間で１０００㎜を超えました。雨が上がった後ですが、養殖池付近の冠水した道路で、釣り竿をたれて養殖池から逃げ出した魚を釣っている人達がいて、台湾らしいなと思いました。夏場だったこともあり、衛生上の問題で事後対応が大変だったようです。

このような豪雨への備えとして都市部のインフラ整備やがけ崩れの危険性がある箇所の対策が行われています。日本でも、まだまだ対応しなければならないことが沢山ありますが、東南アジアのモンスーン地帯では、人口の増加とともに危険箇所も増加していて、計画的で継続的なインフラ整備が急務となっています。

確率降雨量には影響を与えないようですが、記録を塗り替える豪雨が頻発するようになってきました。我々が担当する現場においても、可能性のある最大水位、可能性のある最大水圧を想定して、事故を防止しなければなりません。皆さんには、自分が担当する現場では豪雨時にどのようなリスクが潜んでいるかを考えて、自分が感じたことをどんどん現場へ伝えていただきたいと思います。よろしくお願いします。

仁杉巌さん

先日、高知工科大学の大内雅博先生から『仁杉巌の決断のとき』という本が送られてきました。仁杉巌さんをご存じの方は多いと思いますが、昭和13年に鉄道省に入省、その後国鉄常務理事、西武鉄道副社長、鉄建公団総裁、国鉄総裁などを歴任された方で、御歳95歳です。我が国コンクリート工学の父と呼ばれた吉田徳次郎先生の一番弟子であり、昭和25年に初めて制定されたコンクリート標準示方書の執筆者の一人でもあります。その時の執筆者で一番若かったと思われる松本嘉司先生と先日お話しした時に、「当時の土木学会は国鉄の中にあったようなもので、場所も有楽町のガード下にあった」と聞きました。最初の『コンクリート標準示方書』は、吉田先生の下に昭和10年代卒業の当時30代のエンジニアが中心になって作成したそうです。当時のＤＩＮを参考に制定したこともあり、「あんなにドイツ語を勉強したことはなかった」と松本先生は言っておられました。

さて、話は戻って仁杉さんの本ですが、これは大内先生が30回以上にも及ぶインタビューをして、一冊の本にまとめたもので、その努力には敬意を表します。大内先生の専門はコンクリート材料だったと思いますが、先生の興味は多岐におよび、専門外の著書が多いように思います。大内先生とは仕事で関係したことはありませんが、もう15年以上のお付き合いをさせていただいていて、大内先生は本を出版すると私に贈呈して下さいます。

今日は、その本の中で、気になった仁杉さんの言葉を紹介します。

『土木なんていうのは、悪いやつのグループだと思われている。昔もそう思われていたが、今ほどではなかった。そういうことに対して、土木屋が何も言わないのはおかしいと思う。こういう時代だからこそ、いかに国土に対して土木屋が貢献したかというのをもっとPRしなければならないと思う。そういうグループを作って、土木屋が本当に何をしているかというのを国民に知らせる。それには小学校の教科書あたりに紹介しなければダメだと思う。土木屋が何をしているかということを国民はほとんど知らない。

一般へのPRが大事だ。もっとテレビを使ってPRをすべきだ。首都高の山手トンネルが完成しても、一般の人には何が何だかわからない状態だ。あれによってこんなことがあるんです、それにはこういう努力をしているんです、というようなことを映画で取り上げるとか、そういう企画を土木学会がやればいいと思う。映画会社に作らせるというようなことをすればいいと思う。

また、東京の通勤電車はどうなっているかということは一般の人には大変な影響がある。こういうふうになっているんだということを、もっと皆でPRしたらいいのではないかと思う。東京のJRでやはり改良が一番遅れているのは中央線だから、中央線にはこういうお金をつぎ込んでやらなければいけないとかPRする。今は人に叩かれてから言い訳しているようなPRだ。土木屋のやっていることが、国民の生活にどれくらい影響を持っているかということを、もっとPRすべきだと思う。そのためには土木屋自身が勉強する必要があるが、土木学会が旗を振らなければダメだ。

私は、一生の仕事として土木をやってみて、こんないい商売はないと思う。自分の好きなことをやれて、でっかいものもできるし、いいじゃないかと思う。私はいろいろなことをやったから余計そう思うのかもしれないが、そういう誇りを皆がもつようにならないといけない。そうすれば、みんな土木にくるようになる。』

先週の土曜日からNHKドラマ『鉄の骨』が始まりましたが、そういうものよりは、やはり『黒部の太陽』とか『パッテンライ!!〜南の島の水ものがたり〜』の方が必要なのだろうと思いました。

木造住宅の耐震リフォーム

先日、信頼性設計関係の仕事をしている方々の年に1回のワークショップに参加してきました。この集まりは、もう27年続いていて、私は平成元年の第6回から参加しています。参加者は毎年40〜50人ですが、土木出身と建築出身の人が半分ずつくらいいて、色々な情報交換をしています。

今回は20代の学生の研究発表や30代の研究者のパネルディスカッションを行うなど、若手への研究の継続性を意識したプログラムにしたことが特徴でした。どの分野でも同じような話を聞きますが、信頼性設計の分野でも30代の研究者が少ないことが問題視されています。しかしながら、今回集まってくれた30代の研究者や20代の学生の話を聞いていると、それぞれやる気を持って研究に打ち込んでいる様子がうかがえて、非常に頼もしく思えました。私もこれから学会の委員会活動をするときには、彼らに声をかけて一緒にやっていこうと思っています。

このワークショップの常連メンバーである名古屋工業大学の井戸田秀樹先生と名古屋大学の森保宏先生のグループが、木造住宅の耐震改修を促進するための研究をされていることは以前から知っていましたが、このたび5年間の研究成果に基づいて、「木造住宅の耐震リフォーム」というパンフレットと映像資料を作成し、実務に適用しているという話をうかがいました。このパンフレットと映像資料は、建築士や設計士の方々が家屋の所有者と話をするときに使う資料として作成されたものです。

パンフレットは、「1．地震を知る」「2．自分の家の強さを知る」「3．安心に向けて今すぐ実行」という3ステップで構成されています。「1．地震を知る」では、東海・東南海・南海地震の発生確率を説明するとともに、東海・東南海地震が発生した時の地元愛知県で予想される震度分布を示しています。また、気象庁震度階と発生する現象を結び付けてわかり易く説明しています。「2．自分の家の強さを知る」では、耐震診断の評点と地震時の建物被害の関係をわかり易く説明しています。評点とは、建築基準法で定められている最低限の強さを1・0としたときの家の強さの比率を表しているものです。建物の評点と地震の震度と建物被害の程度とを性能マトリックスを利用して、上手く表現しているのはさすがだなと思いました。「3．安心に向けて今すぐ実行」のベースになっているのは、「どうして耐震改修しないのですか？」といったアンケート調査の結果です。耐震改修工事の方法や効果を映像を使ってわかり易く説明しています。

井戸田先生と森先生を中心とするグループの活動の成果だと思いますが、愛知県の木造住宅の耐震改修戸数は全国一になっています。このような研究成果を見ると、何を実現したいかという目的意識を持った活動が非常に重要であるということを改めて感じましたし、技術的な事項を一般の人にわかり易く説明し、理解してもらうにはどうすればよいかというヒントを得られたように思います。

コンクリート打設

先週の10日から、東京ガス扇島工場でＴＬ22タンク底版のコンクリート打設を継続しています。今朝８時現在で、３万８７４２㎥（全体量の99％）を打設し、10～11時頃に打設完了する見込みです。その後仕上げ作業になります。設計部から派遣した６名は、まだ現場で作業中ですが、作業に携わった皆さんはお疲れ様でした。予定より18時間ほど遅れていますが、品質上のトラブルは皆無で順調に打設を完了できそうです。現場でのコンクリート打設は一大イベントですが、今回は４万㎥と桁外れのボリュームであり、担当者の皆さんの達成感は一入だったと思います。

コンクリート打設前に何回か配筋状況や準備状況を確認しましたが、以前のタンクに比べて、配筋はすっきりしているし、安全な作業環境が整備されていたし、施工状況を想定したきめ細かい配慮がなされていると感じました。これらは、30年にも及ぶ経験の積み重ねによるものです。私が新入社員で配属になった時は、当時世界最大容量13万KLの東京ガス袖ケ浦工場Ｃ－１タンクの底版コンクリートを打設する直前でした。30年前のことです。現場へ行ったところ、Ｄ51の格子筋が５段ある上筋の下に入るのが結構大変でした。確か工事用の開口部がなくて、端部の鉄筋の隙間から潜り込んだ記憶があります。中へ入ると薄暗かったですね。今回のＴＬ22は上筋が３段で、中に入ってもさほど威圧感は感じませんでした。設計上の改善や材料の開発などによって、鉄筋量をかなり減らしています。

底版のコンクリート打設では、地上部のポンプ車から配管を通して底版部へコンクリートを圧送するのですが、以前はその配管部でコンクリートが閉塞することがしばしば起こっていました。17年程前に施工した台湾のタンクでは、その閉塞が手の施しようがないほど起こってしまい、現場の担当者はなんとか打ち続けたいという意向でしたが、プロマネと相談し、打設中断という苦渋の決断をしたことがあります。配管の閉塞で中断したタンクはこの台湾のタンクだけですが、中断するとその後の処理にかなりの労力がかかるので、余程のことがない限り、コンクリートを打ち続けるのが基本です。ＴＬ22では、配管の閉塞もほとんどなく順調に打設していたのが印象的でした。本当に過去の経験を踏まえた改善の賜物だと思います。

このような技術は、類似工事があって初めて伝承していけるのですが、では次の地下タンクは？　と問われると、具体的な時期がはっきりしていないのが現状です。しばらくは、このような大ボリュームのコンクリート打設にはお目にかかれないと思うと、今回のコンクリート打設を自分の目で目撃した皆さんは、貴重な体験をしたことになります。

総合評価方式

先週、東京大学の小澤先生の講演会が開催されました。聴講した方は、それぞれ考えることもあったと思います。私は小澤先生とは専門とする分野が違うので、今までほとんど一緒に活動したことはなく、現在の接点と言えば、最近始まった土木学会の委員会で一緒になっているだけです。

お話を聴いて、まず感じたことは、「話のテンポが岡村先生に似ているな」ということです。知らず知らず師匠の影響を受けているのではないかと思いました。私が一番感じたことは、小澤先生が、自分のやろうとしていることを、土木学会の研究小委員会を通じて、また寄付講座で集まってきた企業人を通じて推進しているという点です。自分の研究室だけでは、活動の幅や情報が限られるのですが、外部の人々を有効に活用することにより、質が高い多くの成果を上げていけるのだと思います。お話を聴きながら、「マネジメントを専門とする先生だけあって、仕事を効率的に進めるマネジメントもスマートだな」と勝手に感心しておりました。

総合評価方式の方法に関して、小澤先生は講演の最後に「良い改善案があれば、提案して欲しい」と呼びかけられました。皆さん方の中にも、「こうした方がいいのではないか」という考えを持っている人は多いと思います。ただ、専門の先生に意見をぶつけるのは、なかなか気が引けますよね。本日は、総合評価方式の改善について私が思っていることを簡単に紹介しましょう。参考にしていただければ幸いです。

私が感じているのは、技術点と価格点を総合して評価点を決めているところにややこしさがあるので、もっとすっきりさせられないかということです。私が考えている改善案の基本的な方法を言いますと、価格を公表して、その価格の中で、最大の効用をもたらす技術提案を採用するという方法です。現状では、技術と価格という二つの尺度で評価しているものを、技術一つで評価して単純化するという提案です。言い方を変えると、B／Cの分母が一定なので、Benefitを最大にするという観点で評価する方法と言えます。技術提案内容は、第三者的な委員会で評価することになります。そこでは、不必要な（無駄な）技術提案を採用しないという判断をして、無駄な予算執行をしない歯止めをかける必要があります。技術提案のBenefitを評価して、最も高いBenefitをもたらすと判断された応募者を選定するということになります。不採用の技術提案にかかるコストは、公表価格から減額し、落札価格が決まります。こう言うと簡単そうに聞こえますが、もちろん、検討すべき課題はいくつかあります。第三者的な委員会の委員選定や運営方法、技術評価の方法、技術提案のコスト査定方法、技術の安売りとならないような仕組み、等々。法律改正も必要かもしれません。しかし、知恵を絞れば解決できるものばかりだと思います。私がなぜこの改善案が良いと思っているかと言えば、それは、Benefitというpositiveな尺度で評価している点にあります。Benefitをもたらす技術が評価され、採用されれば、現状よりも社会資本の質が高まるし、技術開発のincentiveが増加し、技術者の地位向上にもつながるのではないかと思います。また、「低入」、「ドボン」などという言葉がなくなります。簡単に私案を紹介しましたが、こんな案は当然、過去の検討の中に登場したはずです。もしそうなら、何が障害になって採用されていないのかを知りたいですね。

小澤先生の講演の翌日、小澤先生の話にも出てきた國島先生にお会いしたので、色々な話の中で、右記の私案を説明し、意見を伺ってみました。「藤田がそう言うのはよくわかるよ。その案だと技術評価の委員会が現在よりも重要になり、国交省の事務方は、完全な外部委員会を作ろうとするだろう。そうすると、技術職の出番が減る。だから、技術職の連中は反対するのではないか」というのが國島先生の反応でした。國島先生は、１９９４年頃から、土木学会の建設マネジメント委員会で、現在の総合評価方式の原型の検討を始めたそうです。検討当初から、価格点と技術点（初めは足し算方式）という二つの尺度ありきだったようです。

皆さんも柔らかい頭で、どのような方法で落札者を決めるのが、社会に最大の効用をもたらし、また、発注者や応札者の作業が簡素化されるのかについて、各所で提案してみませんか？

次世代を担う若者

野田佳彦総理は、私の地元船橋市の政治家ですが、週に1回「かわら版」を発行していて、現在№.８６３となっています。その「かわら版」は、野田さん自身が船橋市内の数カ所の駅前で毎日配っていましたが、財務大臣になってからは、駅前で見かけることはなくなりました。私が毎週発行しているWeekly Mailは、実はこの野田総理の「かわら版」が一つのヒントになっています。Weekly Mailはまだ5年4カ月の歴史しかありませんが、「かわら版」はもう20年近く続いています。本日は、野田総理の「かわら版」の最新号を紹介します。「次世代を担う若者を支えたい」というタイトルです。

『4日の土曜日、慶応大学経済学部が主催された「社会保障と税の一体改革」に関するシンポジウムで、私から基調講演をさせていただきました。

政治家としての職業柄、各種団体の婦人部や青年部など、私も様々な会合に呼ばれてお話をさせていただく機会はありましたが、大学生ばかりの集団の前でお話しするのは、過去に数えるほどしかありません。大学二年生の息子は地方におり、「親子の対話」を頻繁にすることもないのが実情です。「息子や娘たち」とお話をさせていただくつもりで、なるべく分かり易く具体例も交えながら、日本の社会保障制度の状況と現状の危機感をお伝えさせて頂いたつもりです。

ついつい熱を帯び、30分の予定を超過してしまいました。官邸ホームページに講演内容を掲載しますので、ご関心があられる向きは、そちらをご覧ください。

講演後の質疑応答では、無年金者への対応、特例水準の解消の問題などの質問を受け、聴衆の学生の方々の関心の高さには、改めて感心致しました。また、個人的には、「政治」にこれだけ厳しい目が向けられる時代に、それでも政治家を志望する若者が質問に立ってくれたことに、政治を担う者の一人として大変勇気づけられました。「将来世代にツケ回しをしない」ための改革は、まさに若者のために行うものです。世代間の公平性と持続可能性を確保する方策を議論していくために、これからの社会を背負って立つ若者の声も反映することが欠かせません。これからは、若いひとたちへの訴えかけにも、更に力を入れていきたいと考えています。

私自身の大学生時代を振り返りつつ、思い出話も含めて話をさせていただきましたが、今の大学生にとって、就活をかなり早い時期から意識せざるを得ない点が最大の違いであるように感じます。せっかく大学に入っても、落ち着いて勉強する間も、キャンパスライフを楽しむ間もなく、すぐに就職活動をしなければならないという話を聞きます。産官学で話し合いの場を設け、就職活動の時期の適正化も含め、６月までに「若者雇用戦略」を作ることを改めて申し上げました。

これから社会に羽ばたいていく若者に雇用のパイを広げるためにも、経済の再生が欠かせません。こうした点は、是非とも若者たちにご理解をいただきたいと思っています。

先週は、岡田副総理が中心となって政府全体で取り組む「行政改革実行本部」を立ち上げました。また、国家戦略会議の下に「フロンティア分科会」を設け、議論を開始しました。メンバーは、従前の審議会とは異なり、基本的に私よりも若い有識者に集まってもらい、やる気と能力のある若手官僚にも議論に参加してもらいます。10年後、20年後の日本を実際に生きていく「若者」の力を政策づくりにも生かしていきたいと思っています。』

ＳＴＡＰ細胞の論文

１月30日付の科学誌*Nature*にＳＴＡＰ細胞の発見が報告され、「ノーベル賞級の成果」として大きな注目を集めました。pH５・７程度の酸性溶液に約30分ひたすという簡単な刺激を与えるだけで、すでにリンパ球などに分化した細胞に変化が起こり、様々な細胞へと分化できる万能細胞に変身するというのが、理化学研究所の小保方晴子ユニットリーダーらがマウスを使った実験で発見したというＳＴＡＰ現象です。ＳＴＡＰとはStimulus-Triggered Acquisition of Pluripotency（刺激惹起性多能性獲得）の略であり、ＳＴＡＰ現象を起こした細胞が「ＳＴＡＰ細胞」と呼ばれています。発表された2編の論文に対しては、その後、様々な疑念が指摘され、ちょっとした騒動になっているのは、皆さんもご存じのとおりです。ただ、マスコミの報道は断片的なものばかりで、一般の人々が「何が問題なのか」を正しく理解することは難しいと感じています。私も報道を時々しか見ていないし、ちゃんとフォローしているわけではないので正確なことは言えませんが、『土木学会論文集』の旧部門Ｆの編集委員長を務めた経験から、本件について私が感じていることを皆さんに伝えたいと思います。

『土木学会論文集』の例ですが、論文を査読する際の評価項目が四つあります。それは、新規性・有用性・信頼度・完成度です。「ＳＴＡＰ細胞の発見」ということであれば、新規性と有用性は文句なく満足されていると判定できます。問題は信頼度と完成度だと思います。もし「条件の異なる別の実験で得られた画像がＳＴＡＰ細胞の多様性を示す重要なデータとして使用されていた」という報道が真実なら、論文の信頼度は失われます。また、無色の細胞が緑色に光り出す映像をテレビで見ましたが、この映像は、リンパ球が酸性刺激によってＳＴＡＰ細胞になる様子を顕微鏡で捉えたものだとされています。しかし、ダメージを受けて死にゆく細胞でも「自家蛍光」と呼ばれる蛍光が観察されるそうで、これらの現象を峻別できる対照実験を行わない限り、信頼度のある実験結果とは判定できません。また、写真の取り違えや参考文献が適切に引用されていなかった点などは、完成度の低い論文だったのだろうと想像できます。信頼度と完成度については、共著者の査読や*Nature*誌の査読によって修正することができたはずですが、なぜ、十分な修正が行われなくて投稿・掲載されてしまったのか、疑問が残ります。

「良い科学論文」の要件とは、読者が実施しても論文と同じ結果が再現できるように、条件や手順などが記述されていることだと言われています。STAP細胞については、まだ再現が全く報告されていないことから、*Nature*誌に掲載された小保方さんらの論文は良い論文とは言えないのだろうと思います。この再現性の確認が今後の最大の焦点になっています。論文の共著者の一人である理化学研究所の丹羽仁史プロジェクトリーダーは3月5日に、実験の詳しい手順や条件を記したプロトコールを公開しました。同じく共著者の一人であるハーバード大学のバカンティ教授も独自にプロトコールを公開しましたが、理研が公開した内容と差異があり、共著者間でも実験手順が統一されていないことを露呈して、共著者以外の研究者による再現実験をますます難しくしてしまったようです。

私が論文集の編集委員長をしている時に、著名な大学教授の論文を「返却」したら、「このような新規性がある論文を返却するとは何事か。編集委員長はけしからん」とその教授が憤慨していたという話が伝わってきたことがありました。その論文は確かに新規性はあったのですが、信頼度と完成度が低く、論文としての体をなしていなかったために返却しました。今回の*Nature*誌の論文に関する報道を見て、その時のことを思い出しました。

3Dプリンタ

3Dプリンタが急速に身近なものになってきました。先日は、発射可能な拳銃を3Dプリンタで作ったというニュースを見て、その浸透ぶりを感じました。情報社会学者の公文俊平さんは、デジタル革命を次のように分類し、いよいよデジタル革命3・0が始まっていると言います。

■デジタル革命1・0は、半導体とパーソナルコンピュータによる「計算」
■デジタル革命2・0は、携帯とインターネットによる「通信」、そして、
■デジタル革命3・0は、新素材とパーソナルファブリケータによる「製造」

デジタル革命2・0までは人とコンピュータをつなぎ、「頭脳」を拡張する革命でした。デジタル革命3・0からは、頭脳だけではなく、ものを作る「手」や「道具」、そして「機械」をつないでいくことが始まります。つまり、世界中の「つくる手段」が接続されていくのです。

19世紀初頭の産業革命は、家庭内手工業から工場制機械工業への変革でしたが、デジタル革命3・0では、「家庭内機械工業」への変革が進もうとしています。

現在の社会では、立体的な商品は、流通経路を使って運ばれてくるのですが、デジタル革命

3・0の時代になると、商品を自分の所にある3Dプリンタを使って製造することができます。「情報の見える化」から「情報の触れる化」へ変化すると言ってもいいでしょう。3Dスキャナでデータ化した物体を、遠隔地において3Dプリンタで出力し、その立体感を確認するといった作業は、既に実践されています。「3Dプリンタで何が作れるのですか?」という質問は、「ワープロで何が書けるのですか?」や「ピアノで何が弾けるのですか?」と同じで、的を射た質問とは言えません。3Dプリンタは、私達に「何を作りたいのか」を問いかけているのです。つまり、3Dプリンタは、想像や発想を刺激する「発明ツール」だと言えます。皆さんは、3Dプリンタを使って、どんなものを作りたいと思いますか?

低開発地域の村に3Dプリンタがあれば、船や飛行機で時間をかけて商品を運んでくる必要はなく、自分の所にある3Dプリンタで欲しい商品を製造できるようになります。商品が故障したら、3Dプリンタを使って交換部品を作ればよいのです。3Dプリンタを購入すると、説明書には次のようなことが書かれているそうです。「この3Dプリンタの電源を入れて、何よりも最初に出力して欲しいものは、この3Dプリンタ自身の部品です。データはウェブサイトに公開しています。それを出力して保管しておけば、壊れた時にすぐに部品交換ができるでしょう。」このことは、自己複製や自己増殖するロボットの仕組みを示唆していると考えられます。

3Dプリンタの材料となる樹脂も、生物由来のPLA（ポリ乳酸）を使うことで、環境に負荷をかけることが少なくなり、地球環境に親和性が高くなること、そして廃棄物が出ない循環の仕組みが実現できることが期待されています。機械自身でその機械を作る、増やす、直す、そして作られたものが自然環境にも溶け込むといった世界観が醸成されようとしています。

日本のコメ文化

グラフィックデザイナーの佐藤卓さんは、おコメについて次のように語ります。

『ご飯という言葉が食事全体を意味するように、日本の食はまさにコメに象徴され、それを核にさまざまな料理文化が展開しています。特に「粒」のまま美味しく食べられるという点が、「粉」にしてパスタや麺にしなければ食べられない小麦やトウモロコシとは違うコメの特長と言えます。文字通り「米」が「立」った艶っぽい粒立ちのご飯に、色とりどりの絵を描くように多彩な「ご飯の友」を乗せる。多様な風土に育まれたこれらのパートナー達が、コメの本当のおいしさを引き出す。ファストフード化の流れの中で、日本人の食卓から「一汁三菜」の伝統的な日本食のスタイルは失われつつあると言われます。日本食が世界無形文化遺産に認定されても、日本人の食生活が空洞化してしまっては意味がない。「ご飯の国ニッポン」の根源を、もう一度しっかり味わってみましょう。』

日本人なら、毎日ご飯を食べて育ってきた人がほとんどではないでしょうか。日本でコメづくりが始まったのは縄文時代後期。弥生時代からはさらに本格的になり、食べ物を大量に生産する仕組みが進み、それ以降、コメづくりは多くの人々の食を支えてきました。お茶碗一杯のご飯には、稲穂三束分の約三千粒のコメが入っています。稲穂一束は一粒のコメから成るということですから、毎年千倍に増やしてくれる、しかもその元手は、光合成に必要な光と水と空気だけということになります。コメの一粒一粒には、これまでコメづくりに携わってきた人々の弛まぬ努力や工夫と、循環する膨大な地球のエネルギーが蓄積されています。約一万年前、人類が原始的な稲作を始めた頃には一株に数十粒だった実りが、今こうして千倍に増える魔法となったのは、人々の努力の賜物なのです。

「米」は八十八の手間がかかることから、この漢字になったと言われています。それほど苦労して、大事に、慎重に、コメを育んできた長い歴史があることを表しているのだと思います。その結果、私たち日本人の生活や文化にコメは深く関わっています。日本の節句や農事暦がそのことを表していますし、宮中の節目の祭事は、コメの生育とともに行われています。日本の国土は、川や土地が稲作のために作りかえられてきました。その結果、各所に水田がある風景が生まれて、日本は水が豊かな国になりました。桜はイネに宿る神（穀神）の象徴であり、花見はその年のコメの豊作を占う花占いが起源だと言います。また、日本の政治は、古代の律令制から江戸時代の石高制に至るまで、ことごとくコメを基本単位として編成されてきました。「石《こく》」とは、大人が一年間に食べるコメの量で、それを単位として国力を計っていた時代が続きました。コメが今の円やドルに当たる貨幣、財産や租税の単位にもなったという意味で、まさに「コメ本位制」の社会でした。

ご飯でいただくコメの他にも、餅や酒などは私たちの食生活に欠かせないものとなっています。イネの実であるコメを主食として利用する一方で、日本人は、イネの強くて柔らかい茎＝「藁」をふんだんに利用してきました。「藁」で家の屋根を葺き、草履や蓑を作り、綱や縄を綯い、染織に藁灰を使ったりしてきました。納豆も、単に包装材として藁を使ったのではなく、元来は藁についた納豆菌で発酵させたものでした。また、土壁の補強材、ひび割れ防止材として粘土に混ぜ込まれたスサも、イネの藁やもみ殻でした。その他にも、コメ粒に「般若心経」を書くという伝統もあり、イネは私たちの身近にあって、日本人の食生活はもとより、社会生活や文化に深く関わりあっているものであることを感じます。

クールジャパン

東京モノレールは9月17日に、東海道新幹線は10月1日に開業50周年を迎えました。10月10日が東京オリンピックの開会式でしたから、タイトなスケジュールの中で東京オリンピック向けのインフラが整備されていたことがわかります。50年前の東京オリンピックの時、私は山口県の徳山市に住んでいました。家の近くに10ｍ×30ｍほどの畑を借りていたので、なす、きゅうり、まめ、とうもろこしなどの野菜を作っていました。なすやきゅうりはおかしな形のものが多かったのですが、最近スーパーで見かける形の整ったきゅうりはどのように作っているのか不思議でなりません。

少々汚い話で恐縮ですが、当時の我が家は水洗トイレではなく、汲み取り式で、家の肥を汲んで肥料として畑にまいていました。時々、近所の農家のおじさんが肥をもらいに来たりしていました。つい最近までの日本では、都市部においても糞尿は周辺の畑に運ばれるのが当たり前でした。その養分は小動物などにより、平野を取り囲む森林に還元され、山は豊かな森林になっていきました。たとえば、慶長8年に徳川家康が江戸に幕府を開いたときに、まだ江戸は地方の田舎町で、周囲は荒れ地でしたが、江戸後期までには豊かな武蔵野の森が形成されました。東京周辺の森は、昔から存在していたのではなくて、江戸の人々が育てた森なのです。

このようにして形成された森は、生命に不可欠なリンなどの養分の宝庫であり、森の養分は河川によって運ばれ、田畑と街を経て海に注がれます。河川は田畑に栄養分を供給して野菜を育て、人々の生活を潤し、海に栄養分をもたらして海藻や魚介類を育てます。日本では、このような循環構造が確立されていました。その結果、日本の森林面積は約25万㎢で国土の67%にもなっていて、世界平均の約30%を大きく上回っています。世界で森林率が60%を超えるのは23カ国しかなく、その中で国土面積が10万㎢以上の国は、アジアでは日本と北朝鮮だけです。こんな森林国日本ですが、現在はどうかというと、ごみの大半がプラスチックなどの分解されないゴミであり、しかも生ゴミは燃やされ、糞尿も処理して海に流されるので畑には還元されません。したがって、養分が森に還元されない仕組みになってしまいました。大自然と調和していた日本の循環構造が崩れてきているのです。

日本人の物を大切にする感覚は、循環型社会を創り上げたことに通じるのだと思います。日本人は昔からリデュース・リユース・リサイクル・リペアの4Rを実践してきて、「もったいない」が世界語になったように、そのような日本の価値観が注目を集めています。風呂敷はゴミを出さず、オシャレに楽しみながら使えるということもあり、フランスなどでは環境保全の象徴的なアイテムとなっているようです。このような日本的な価値観に根差した物が「クールジャパン」と言われて、海外で注目を集めているのですが、当の日本人の方がその伝統的な価値観を失いつつあるのではないかと思います。「日本の良さを認識しているのは外国人で、現代日本人には日本文明が足りない」と言われることがありますが、私達日本人は、日本文明の重要性を再認識し、復興する必要があるのではないかと思います。

日本の交通計画

先週金曜日に、国交省技監の徳山日出男さんの講演を聴講しました。徳山さんは私の大学の同級生で、建設省時代からずっと道路畑の仕事に携わり、東日本大震災の時には東北地方整備局長として、敏腕をふるって震災直後の危機対応から復興行政において活躍された方です。講演は、日本の国土の将来像を道路の視点から考えるという内容でした。以前から、道路の機能や必要性について説明してきたけれども、国民には「道路建設ありき」のように捉えられていたことを反省し、国民の生活を豊かにするための国土のあり方をしっかり説明し、どのような状態を目指しているのか、そして、それを実現するためにはどのような対策が必要なのかといった「ソフトの考え方」を明確にすることが重要であると強調されました。その結果として、この区間の道路を拡幅すれば、渋滞が緩和して、これくらいの経済効果があるということを定量的に説明し、ハードな対策に結び付けていくというステップを踏んでいきたいという話でした。

人口減少や高齢化は地方だけの問題ではなく、東京でも同じ問題をかかえているということです。それを解消するには、交通ネットワークで結ばれた「串団子」のようなコミュニティ群を整備するのも一つの方法であるようです。たとえば、緊急対応病院、博物館・美術館などは、人口30万人以上の都市で設置されているのが現状ですが、松江市と米子市のように近接している都市では、それぞれの人口は減っていっても、２都市が整備されたネットワークを持っていれば、人口30万人以上の一つの文化圏として機能できるというわけです。

昭和の高度成長期以前の日本では、地方都市が江戸時代から続く文化圏を形成していて、日本全体がそれぞれの地域の特長を活かして活性化していたように思います。そのような状態だったのに、交通網の整備にともなって、物の流れや経済活動・文化活動などが東京へ一極集中するようになってしまいました。私は、このことを考える時に、ドイツとの違いを痛感します。ご存じのように、ドイツは150年ほど前に建国した新しい国で、統合以前のその地域は小国の集まりでした。日本が多くの藩に分かれていて、それぞれの藩が一国となって文化を形成していたのと似ています。20世紀に入り、自動車が物流の革命をもたらし始めた頃、ドイツでは高速道路網の計画を策定しました。第二次世界大戦よりも前のことです。その計画に従って現在に至るまでドイツでは高速道路網が整備され続けています。また、飛行機による物流が発達してくると、高速道路網と空港の役割分担を定めて、空港を整備していきました。ハブとなる空港を地方都市に分散して配置し、空港からは高速道路ネットワークを利用し、高速道路料金は無料でしたので、気がつけば高速道路を下りて一般道路を走り、目的地に到着できるという仕組みを完成させたのです。日本では、そのような体系立てた計画がないので、「各県一空港」のように非常に無駄な施設を造ってしまうことになりました。

徳山さんも言っていましたが、ハブ空港・ハブ港湾をどこにするか、そして、どのように道路・鉄道のネットワークとつなげるか、その物流網を活かして、地方都市を住みやすくするためにはどのような街づくりをしなければならないのかを一生懸命考えて、国土造りに取り組む必要があると思います。今からでも、決して遅くはありません。日本全国が、少しでも住み心地がよくなるように、行政に携わる人々には力を発揮していただきたいと思います。

沖縄旅行

先週末は、部内旅行で沖縄本島へ行きました。幹事の皆さんには、業務多忙の中、詳細な計画をしていただき、また、旅行会中は行程管理や様々な調整に気を配っていただきましてありがとうございました。天候にも恵まれて、参加者の皆さんは、計画以上の旅行を楽しみ、リフレッシュすることができたことと思います。また、日頃は一緒に仕事をしていない人とも親睦を図ることができたのではないでしょうか。残念ながら都合がつかず旅行に参加できなかった方々は、忘年会など次の機会に参加して、皆さんと楽しんでいただきたいと思います。

私は、沖縄本島へは出張でしか行ったことがなく、ほとんど観光をしたことがなかったのですが、この度の旅行では、美ら海水族館や古宇利島へも行けたし、釣りやゴルフも楽しむことができました。８人が1時間ほどで釣った魚は50尾ほどで、刺身・揚げ物・煮物にして食べて、その味は最高でした。東京に比べると日差しが強くて、結構日焼けしましたね。夜は、沖縄の歌を堪能し、沖縄情緒を楽しむことができました。

沖縄には、第二次世界大戦末期の悲惨な歴史があり、まだ人々の胸の痛みとして深く刻まれていると思いますが、南国の気候と豊かに見える自然の恵みを体感すると、人々のゆったりとした生活リズムが納得できる気がします。四海がもたらす海の幸や南国の食物が豊富で、「のんびり暮らすには最高だな」などと思ってしまいます。

那覇空港で『近世沖縄の素顔』という本を買って読んでみると、「1784年には前年からの長雨と二度の台風、さらに虫害の発生で凶作となり、天明の飢饉の影響もあって、穀物の価格が高騰し続けた。町方の住民は特に窮し、王府は救助米を出すなど対策を講じたが首里の住民二百～三百人が徒党を組んで西原、中城間切あたりに押しかけ、蘇鉄を根こそぎ盗み去るといった事態も起きていた」という記述が目にとまりました。沖縄にも凶作による飢饉の歴史があったということです。自然の恵みは豊かに見えますが、台風などの厳しい自然環境にさらされているという面もあります。

沖縄の主要な道は、道幅が広く、歩道も整備されていて、米軍基地の多くを受け入れていることによる補助金により、インフラ整備が進んだことが実感できます。この度の旅行中、地元の年配の方に聞いてみると、沖縄海洋博の際に整備された美ら海水族館あたりの地域は、本島の中でも最も貧しい土地だったが、当時の開発のお蔭で土地成金も生まれ、観光地として生まれ変わり、地元に恩恵をもたらしたということでした。昨日は、沖縄県知事選、那覇市長選、県議会議員と市議会議員の補欠選挙があり、県知事選では辺野古基地反対を唱える翁長氏が当選しました。

観光しているだけでは上辺しか目にしないので、深い部分について考えることはできませんが、沖縄には様々な歴史とともに現在直面している課題があり、この度の旅行をきっかけに、沖縄についてもう少し勉強してみようと思いました。

洋上風力発電

自然エネルギーを利用した発電の中で、世界中で最も建設が進んでいるのが風力発電です。ドイツの鉄道に乗っているとあちこちで風車を目にします。アルプスより北のヨーロッパ大陸はなだらかな地形が多くて、風況さえ良ければ、風車を建設しやすいのだと思います。また、デンマーク、イギリス、オランダでは洋上風力発電施設の建設も多く行われてきました。

日本でも風力発電用の風車は陸上部で着実に建設されてきています。ただ、日本は平坦な地形が少なく、風力発電に適した場所となると、急峻な地形のところが多くなり、建設用の道路を造り、風車の部材を運搬・設置することに苦労することになります。道路運搬の制限から、陸上部に建てる風車タワーの直径の限界は４ｍであり、その結果、陸上風車の最大容量は３MW程度となります。コンクリート製タワーならば、もっと大きな風車を建設できる可能性はあります。陸上部では、このような建設上の制約があるため、洋上風力発電は以前から注目されていて、当社でも10年ほど前から東大・東京電力とともに、特に浮体式風車の研究を続けてきました。建設のしやすさを考えると沿岸域に設置するのが良いのですが、沿岸域では風力発電に必要な7m/sの風速がなかなか得られないのが実情です。必要風速を得るには、海岸から20km程度沖合に出る必要があります。そうなると、水深は２００ｍを超えてしまい、着定式風車は建設が非常に困難となるため、浮体式風車がどうしても必要になります。このような背景があって、実証案件として、当社はＮＥＤＯの補助金を得て浮体式風車の１号機を鹿島沖に建設しました。この成果を踏まえて、今後も大容量の浮体式風車が海洋上に建設されていく予定です。このような洋上風力発電施設の建設に多大な尽力をされたのが、東京大学社会基盤学科の石原孟教授です。

石原先生は風工学の専門家ですが、早くから風車の研究をされていて、２００７年には土木学会から『風力発電設備支持物構造設計指針』を発刊されました。当社も石原先生の指導を得ながら浮体式風車の検討を進めてきました。３年ほど前、石原先生のところへ学生のリクルートのお願いに行った時のこと、リクルートの話は早々に終わり、石原先生から洋上風力発電事業の話を延々と聞くことになってしまいました。それは東日本大震災の年のことで、洋上風力発電事業を通して、風車に関わる部品工場や発電した電力を使った農作物工場などを建設し、福島県の復興に寄与したいと石原先生は熱く語っておられました。

先週、土木学会の構造工学委員会で石原先生に洋上風力発電事業について講演していただきました。その中でも浮体式風車の話が中心で、当社が建設していることも強調していただきました。最初は「２００％反対だ！」と言っていた漁業組合の人々も、実証風車を係留する大きな鎖が漁礁になっていることがわかると、態度が百八十度変わって、浮体式風車建設に賛成してくれるようになったこと、ケネディ米国大使が視察され、アメリカでも建設する動きが出てきたこと、土木学会指針を洋上風車も含めて改訂中であることなど、非常に熱く語っていただきました。改訂版の指針は１０００ページほどのボリュームになるようですが、ほとんどを石原先生が執筆あるいは校正されていると聞いています。以前、夜遅くでしたが、帰りの電車の中で偶然石原先生をお見かけした時、一心不乱に書類をチェックされているようでした。石原先生のバイタリティが、短期間のうちに日本の浮体式風車を世界一のレベルに引き上げたのだと思います。

燃料電池自動車

トヨタ自動車は、昨年12月15日に燃料電池自動車ＭＩＲＡＩの発売を開始しました。価格は723万6000円（税込）ということですが、国の補助金が約200万円、東京都の場合はさらに100万円の補助金が出るそうで、なんとか販売を促進していこうという方針がうかがえます。ただし、水素ステーションの数は都内でも数カ所しかなくて、燃料電池自動車の普及の大きな課題になっています。水素を自動車に充填するためには予め水素の圧力を700気圧まで高めておく必要があり、そのため充填前に水素温度をマイナス数十度に下げておかなければならないそうです。そのような設備が必要となるため、水素ステーションの建設コストは1カ所あたり4億～5億円かかることになります。通常のガソリンスタンドの設置コストが1億円以下であることを考えると燃料電池自動車の普及促進に対して大きな壁となっていることがわかります。この課題を克服するために、水素ステーションをガソリンスタンド並みのコストで建設できるように国は補助金を出し、エネルギー関連会社は2015年度中に全国で100カ所の水素ステーションを設置することを目標としています。

石油や太陽光など自然界にそのまま存在しているエネルギーのことを一次エネルギーと呼びます。これに対して、一次エネルギーを私達が利用しやすいようにしたものを二次エネルギーと呼んでいます。二次エネルギーの代表例は電力です。そして、水素も二次エネルギーに分類されます。電力と水素を比べてみると、貯蔵や輸送の面で水素の方が有利であることがわかります。水素はそのままの状態で貯蔵したり輸送したりできるので、エネルギーのロスがありませんが、電力の場合だと発電時に熱として40～60％のエネルギーが失われ、送電の際にも熱が失われ5％程のロスがあります。現在、製鉄所や水酸化ナトリウムなどを製造するソーダ工場では大量の水素が生産されています。ただし、これらは石炭などの化石燃料から水素を生産する方法なので、「エネルギーの代替」や「環境負荷の低減」という水素社会の本来の目的を達成することはできません。

これに対して現在注目されているのは、水を電気分解して水素を生産する方法です。ただし、水を電気分解する時に使用する電力が化石燃料を使って発電したものでは意味がありません。そこで期待されているのが、風力発電・水力発電・太陽光発電などの再生可能エネルギーから発電した電力を使う方法です。貯蔵や発電量の調整が難しい再生可能エネルギー由来の電力を、水素の形で貯蔵するということです。これなら化石燃料の代替も二酸化炭素の排出量削減も可能となります。さらに、カナダやロシアの水力、パタゴニア地方の風力など、世界には安くて大量に存在するのに有効利用できていないエネルギーがあります。そこで、これらの電力を利用して現地で水を電気分解して水素を生産し、日本などの消費地へ運ぶことが検討されています。水素を効率的に輸送するためには、天然ガスと同様に、液化して輸送することになります。水素を液化すると体積は約８００分の１（天然ガスは約６００分の１）に、温度は約マイナス２５３℃（天然ガスは約マイナス１６０℃）になります。ＬＮＧ（液化天然ガス）を運送・貯蔵する際には、気化をいかに少なくするかという課題がありますが、液化水素の場合はその課題がさらに大きくなり、現在の断熱構造のタンクで貯蔵しても、一日あたり約０・５％ずつ気化してしまうため、長期間の輸送や貯蔵には適していないというのが現状です。

日本は水素社会の実現に向けて舵を切りましたので、この分野の科学技術の発展に私達も関わっていくことになると思います。そういう視点を持って技術開発に取り組んでいきたいと思います。

阪本小学校

私の通勤経路は、銀座線の京橋駅から４００ｍほど歩いて会社へ行くルートなのですが、半年ほど前から、健康のため、東西線の茅場町駅から１㎞弱ほど歩いて出社しています。茅場町駅から会社へ向かう途中に、阪本公園と阪本小学校があります。その阪本公園に看板が立っているのに気づき、見てみると、阪本小学校の沿革が書いてありました。今回は、本社のそばにある阪本小学校について、ご紹介します。

阪本小学校は、明治４年の文部省設置および明治５年の学制布告により、明治６（１８７３）年３月、「第一大学区、第一中学区、第一番官立小学　阪本学校」として創立され、同年５月７日に開校式が挙行されました。その時の出席児童は36名で、出席者には赤飯菓子が配られたそうです。当時の学制布告では、全国を８大学区に分け、各大学区に１本部、各大学区を32中学区、各中学区を２１０小学区に分別しました。我が国の公立学校の創生期において「一、一、一」を冠した小学校は、日本中でも阪本小学校だけであり、創立１４２年を迎える現在に至るまで「一番学校」としての伝統と歴史を引き継いでいるのです。校史によれば、「創立翌年の明治７年には生徒数２６７名となり校舎を新築した」とあります。しかし、明治13年９月29日には、この学制は廃止され、学区番号も廃止されたので、「一番学校」の歴史は７年余りで閉じることになります。

大正12年９月１日の関東大震災では、校舎が全焼し、帳簿類ならびに卒業生台帳も焼失してしまいました。関東大震災では、日本橋から京橋にかけても焼け野原になり、その時の教訓から、火災延焼を防止する目的もあって整備されたのが本社前の昭和通りです。阪本小学校は、その後、昭和３年３月15日に鉄筋コンクリート３階建ての校舎が落成し、現在に至っています。そんな長い歴史のある小学校ですから、多彩な卒業生を輩出しています。文豪の谷崎潤一郎、宮内大臣石渡荘太郎、一橋大学学長山中篤太郎、歌舞伎名優市川左團次、杵屋六左衛門などです。また、阪本小学校は邦楽に力を入れていて、1年生から琴、4年生から篠笛、5年生からは三味線を習い、全国合奏コンクールで最優秀賞を受賞するなど、各種音楽大会での受賞を続けているそうです。

毎朝、私は通勤時に制服姿の阪本小学校の児童達の登校姿を見かけます。現在の児童数は132名で明治7年の半数に減っており、各学年1クラスずつで、4年生は16人しかいないそうです。校舎の入り口には、山本正道氏の『少女』（1992年作）の慎ましやかな像があって、登校する児童たちを出迎えています。入り口の隣は給食室になっていて、7時半頃から「給食のおばさん達」が真剣な顔をして給食の準備に取りかかっています。このような情景を見るにつけ、伝統を受け継いで子どもたちが温かく育まれているように感じられてなりません。

平日は、家と会社との往復で、通勤路にある名所など見ている暇がないのが実情ですが、少し好奇心を持って周りを見てみると、面白い発見があって気分転換ができるかもしれません。阪本公園には桜の木があるので、3月末頃の開花の時期、そして4月初めの入学式の時に、阪本小学校界隈がどのような風情になるのか、今から楽しみにしています。

CG技術の進歩

先週の金曜日に、土木学会の委員会が国立市にある鉄道総合研究所で開催され、出席してきました。そして、委員会の前に施設見学をさせていただきました。鉄道総研本館前には、現在たまたま、3種類のリニアモーターカーの車体が展示されていて、この光景を見られるのは今日が最後という日でした。その3台とは、1972年に磁気浮上走行に成功したML100、1979年に517km/hを記録したML－500、そして山梨実験線で走行していたMLX01です。見学の最初は、そのMLX01の車内に座り、鉄道総研の概要の説明ビデオを見せていただきました。その後、大型振動試験装置、大型降雨実験装置、電力リサイクル車両などを見学しました。構内の敷地外縁には、走行試験用の軌道や架線・パンタグラフなどの集電試験用の軌道がありますが、最近は周辺に住宅が建ち並んできているため、車両や試験装置が走行する際に発生する騒音をいかに低減させるかが課題になっているそうです。また、大型振動試験装置は、免振支承の上に設置されていて、周辺に振動が伝達しないように配慮されていました。

研究所の中には、鉄道独特の施設が色々とあり、どれも面白いものばかりでしたが、その中でも特に運転シミュレータに興味をそそられました。運転シミュレータを用いた実験データを用いて、事故につながるようなヒューマンエラーの分析を行い、新しい運転適性検査法を開発しているということです。CG技術の進歩によって、シミュレータの画面はリアリティに富んだものになっています。このようなCGを使ったシミュレータは様々な方面で活用されています。新幹線の車掌訓練用のシミュレータでは、基本となる13パターンの状況で、データを色々と変化させることによって何百という場面をCGで見せることができて、車掌が臨機応変に的確にその状況に対応できるように訓練しているそうです。関連した話として、香川大学の危機管理研究センターでは、地震時に発生する様々な状況（たとえば、天井からの落下物の下敷きになって動けなくなっている人がいる状況など）をＣＧで作成して、防災士養成講座などで活用しているそうです。

ＣＧを用いた、見せる技術は非常に進歩しています。その画像は、実現象を精度よく再現した解析結果に基づいたものだとより迫力のあるものになります。当社の技術研究所で実施しているＶＯＦ法を用いた津波解析は、津波の現象を高精度に表現できるので、その解析結果の動画を見ると実験結果と見まがうほどの出来栄えになっています。当社は、数種類の形状のタンクに津波が来襲した状況について、電力中央研究所の水路を借りて、水面形状・流速・波圧などの計測を行うとともに、ＶＯＦ法を用いた3次元津波解析を実施しています。その結果、当社が保有する解析技術が高精度で現象をシミュレートできることを実証しています。この解析手法を使えば、様々なケースにおいて津波が来襲した状況をシミュレーション解析によって精度よく把握できるので、今後の活用が期待されています。今回の解析結果の動画は、流れの様子もさることながら、光の反射の様子まで再現しているので、本当に実現象を見ているようです。その動画を見た大学の先生が、「解析結果の動画の方が実験みたいですね」と思わず言ったそうですが、それくらいの見栄えです。皆さんにも是非見ていただきたいと思います。その光の反射具合などの見せ方を担当した技研の方に聞いてみると、「それほど大変ではありません」との返事でした。一方で、ＶＯＦ法の解析は、20秒の解析を行うのに、東京工業大学のスパコン「つばめ」でも2週間かかったそうです。電子計算機の演算速度が発達してきて、このようにとてつもない計算でも実用的になってきたということです。

12

海外トピック

ボスポラス海峡トンネル

新年明けましておめでとうございます。年末のWeekly Mailと「どせつ歳時記（年頭挨拶）」でも述べましたが、今年はますます海外案件への関わりが増加すると思います。海外案件になぜ取り組むかと言えば、第一に我々の建設技術を必要としている人々が海外にいるからです。我々から見ると、海外案件には新しい文化や価値観との出会いがあり、やっていて面白い。経営的に言えば、海外案件では少人数の職員がローカルスタッフをマネジメントするので、国内案件に比べて人的な効率がいい。その結果、人的資源を効率的に再配置することができ、技術の伝承などにも対応できて、当社の中でポジティブループがまわっていくことが期待できるからです。

昨年末、ボスポラス海峡トンネルプロジェクトに従事している友人が帰国したので、色々と話を聞きました。彼は香港地下鉄などの海外現場勤務が長かったのですが、いくつかの会社勤務を経て、現在は、ボスポラスプロジェクトのOwner's Consultantの一員として勤務しています。彼に聞いたボスポラスプロジェクトの近況を紹介します。

ボスポラスプロジェクトは、約１・４㎞の沈埋トンネル部分とＴＢＭおよびＮＡＴＭのトンネル部分があり、総延長13・７㎞を大成建設が施工しています。２００４年5月24日に着工、工期56カ月で２００９年開通予定、日本の円借款で総工費約１０２３億円のBig Projectです。現在、工期が約1年遅れているそうです。早くて2月か3月にようやく第1函目の沈埋函を沈設できる見通しだそうです。

大成建設にとっての現在の大きな問題は、トルコ政府がお金を支払ってくれないことです。Payment Scheduleがどうなっているかは不明ですが、品質などのNCR（Non-Conformance Record）をクリアできないという理由で支払われていないそうです。日本政府やコンサル側の私の友人は、支払ってやるように言っているのですが、トルコ政府はなかなか言うことを聞かないそうです。

もう一つの問題があって、地上のトンネル部の掘削をしたら遺跡が出てきて、トルコ中の考古学者が調査に集まり、その部分の工事がストップしているそうです。こういうことも一つのCountry Riskですね。

大成建設の職員は四十数名いますが、その中で海外経験者は4名だそうです。全員現場事務所の宿舎に住んでいて、日本料理を作れるトルコ人のコックのいる食堂は、まあまあ充実しているそうです。

初めて海外勤務をしている大成建設の人達は、まさに文化や考え方の違いを体験しているところだと思いますが、このプロジェクトを乗り切ると、そこで得られた貴重な経験を生かして、次の海外プロジェクトの核となって活躍することでしょう。

我々も多くの人が自分自身で海外での仕事を体験して欲しいと思います。

ドバイ

先週、Kグループ長とともにドバイへ行ってきました。5月10日にドバイの民間会社の社長他4名に対して、ドバイ市内の運河にかかる橋の検討結果の説明とウォーターフロントに適用できる技術のプレゼを行いました。特に運河の水質浄化に関しては大きな問題ととらえているようで、今後、客先の検討チームに参加できるかもしれません。

さて、ドバイとアブダビを訪問しましたが、私が受けた印象を簡単に紹介します。

ドバイでは、色々な場所で開発が行われています。正に建設ラッシュです。大林組と鹿島建設はLRTの高架橋を延々と施工しています。街中には芝生や椰子の木、低木などもあって、緑が配置されています。そのために、散水用の水チューブを地表面に張り巡らせています。町を外れると一面が砂漠です。砂嵐もあるそうです。砂漠の中に無理やり街を造ったという感じです。夏場は暑くて外には出られません。今回滞在中は5月初旬で、最高気温が40度程度でしたが、真夏になると50度近くになることもあるそうです。どこかに旅行しようとしても国内では、名所旧跡があるわけでもなく、余暇の過ごし方は、冷房の利いたショッピングモールでぶらぶらしているのが一般的なのかもしれません。日本人が生活するのはちょっと辛いかもしれませんね。

アブダビの方がなんとなく普通の街のような印象を受けました。アブダビはUAEの首都で、豊かな王国だそうです。中東のいくつかの国に滞在経験のある商社の方の話では、「中東ではアブダビが一番住み心地がいい」とのことです。このアブダビでも開発事業が目白押しで、たとえばReem島の開発は事業規模が約6兆6千億円です。さらに西隣のカタールのRas Laffan Industrial Cityでは、250㎢の開発が行われ、世界最大のLNG基地が建設されています。

UAEは、石油がある間に経済・学術・文化・スポーツなどあらゆる面で世界をリードしていけるような基盤を造り上げようとしています。そのためには、そこでの暮らしが魅力あるものであり、人々が定住してもよいと思う環境が必要だと思いますが、少なくとも今のドバイでは、ちょっと住みたくはないなという感じですね。既に、駐在されている方、これから仕事で滞在する方にはネガティブなことを言って申しわけありません。アブダビの方の仕事に参加するのなら、ドバイよりは生活環境がいいかもしれませんね。

台湾訪問

先週休みを取って台湾へ行ってきました。私は台湾新幹線工事の現場にDesign Managerとして勤務したのですが、開通してからなかなか乗りに行く機会がなかったので、今回思い切って時間を作って、プライベートで行くことにしました。

新幹線の車内は日本の新幹線と殆ど同じですが、座席の前後間隔が広くなっています。乗り心地は日本の新幹線よりもだいぶ良く感じました。殆ど揺れません。大きな違いといえば、ホームに売店がないことです。便数が少ないこともあり、ホームは非常に静かな雰囲気です。私が担当したC291工区は28・513㎞ですが約8分で通過しました。通過しているときに、難航した交渉のことや施工不良の場所など、様々なことを思い出しました。忘れていたことも思い出すものですね。また、「ここは、こんなに広い畑や果樹園だったんだ」とか「台南科学園区はこんなに広かったんだ」とか新しい発見もありました。新幹線は全線殆どの区間で街から離れた所を通過しており、特に駅付近では大規模な開発が行われようとしていることがわかります。また、最先端の半導体工場が集結する台南科学園区には、かなりの工場ができていました。

台北付近には現在五つの現場があります。台北に1泊して、駐在の人達と食事をしました。12人も集まってくれたのには驚きました。一緒に仕事をした人達が殆どで色々な話で盛り上がりました。新幹線建設中は台湾南部に職員が多かったのですが、現在南部では高雄地下鉄の現場にT所長とF工事長の2人がいるだけです。お二人とも旧交を温めました。現地の皆さんに非常に歓待していただいて、体はかなり疲れましたが、気分は上々、リフレッシュさせてもらいました。

昨年はシンガポールへ行き、先々週はドバイ、先週は台湾と、ここ1年足らずの間に海外土木支店の3拠点へ行ったことになります。行って、駐在の人たちと話をすると、現地のこと(仕事、生活、問題点など)が多少わかってきます。そういう意味で、実際に現地へ行き、直接話をしたり肌で感じることも大切だと改めて認識した次第です。台湾では、長年のローカルエンジニアや関係会社との信頼関係があることが、なんといっても最大の強みだと思います。

ソフィア地下鉄

先週の金曜日に大学の1年後輩で先月勤めていた会社を退社し、今月から設計コンサルタント会社の国際部で技師長として働いている友人と食事をしました。彼は、4月までの2年間はブルガリアのソフィアで地下鉄工事に従事していました。その前は台湾高雄の地下鉄現場に3年いました。ブルガリアの地下鉄は延長4・6㎞のシールドトンネル、駅が2カ所、立坑数カ所といった工事で、軌道や電気工事も含まれます。まだまだ、日本では考えられないような客先対応もあるそうで、殆どブルガリアにはなじみがなかったために大変苦労したそうです。最初は日本人4人の予定が今では11人に増えています。そんな現場で頼りになるのは、イギリス人のQS（Quantity Surveyor、claim対応も行う）なのですが、客先から「そのイギリス人を代えろ」と言われ、大分もめたようです。海外工事では、客先がキーパーソンの交代を要求することは日常茶飯事で、直接社長宛のレターが来ることも珍しくありません。交代の理由は、そのポジションの役割を果たしていない場合もあるでしょうが、客先が苦手な相手を代えろと言ってくる場合が多く、特にイギリス人のQSの交代理由は後者のほうでしょう。私の友人は、彼がいなくなると、このプロジェクトは上手くいかなくなると思い、必死で客先を説得し、結局イギリス人は残留することになったが、代わりに自分が身を引くことになったそうです。当時勤めていた会社の海外土木には約２００名の職員がいますが、海外プロジェクトに不慣れな人も多くて、どの現場もなかなかうまく進んでいないそうです。

ブルガリアは、貧しいけれど食物などは豊かな国だそうです。在留邦人が１６０人ほどしかいなくて、日本の大使とも親しくなるし、当然、琴欧州ともパーティーで会ったり、色々な体験ができたと言っていました。

「今後は建設会社としてだけではなく、オールジャパンチームを作って海外案件に取り組んでいこう」というような話で深夜まで盛り上がりました。

パートナリング

先週、海外建設協会主催のパートナリング・セミナーに参加してきました。以前、土木学会の委員会で、海外の設計審査を調査しているときに、イギリス道路庁（Highway Agency）が10年ほど前からパートナリングを採用し始めているということを知り、ちょっと気になっていたキーワードなので勉強に行ってきたわけです。

欧米や東南アジアの国際プロジェクトは、一般的に分厚い契約書をベースにして遂行されますが、工期遅延・発注者の追加要求・品質不良・支払い遅延などの問題が発生すると、クレームにより問題を解決することになります。そのクレーム処理がうまくいかなくなると、調停・仲裁・訴訟などの法的手段による解決をはかることになり、解決までに余分な金と期間が必要になってきます。このようなアングロサクソン的商習慣（性悪説に立脚）の弊害を緩和する方法として、20年ほど前からパートナリングという考え方が生まれてきました。こちらの考え方は、性善説をベースにしていると言えるかもしれません。現在では、アメリカ・イギリス・オーストラリア・香港の建設プロジェクトで取り入れられています。

パートナリングでは、まず、プロジェクト開始時に、発注者・設計者・請負者など関係者がワークショップを開催し、そのプロジェクトの課題を洗い出し、各々の課題をモニターする指標を設定します。そこで重要なことは、それぞれのパーティーのトップから実務担当者までの各階層において、共通の目標・アクションが合意され、関係者間の信頼をベースとした協力・協働関係を構築することにあります。1〜3日間のワークショップの最後に、Partnering Charter（憲章）を作成し、関係者がサインします。Charterの例を挙げると、"We shall work together to achieve our vision of completing an iconic landmark project. Our cohesive team will work in harmony and with mutual respect to deliver the following common goals:" のような内容で、この文章の後に課題とモニタリング項目が並びます。このCharterには法的拘束力はありません。

プロジェクトが始まると、定期的にFollow up meetingが開催され、メンバーが各モニタリング項目を採点し、プロジェクトのパフォーマンスが定量的に評価されます。このようなワークショップやFollow up meetingの進行役として、どのパーティーからも独立したファシリテーターが選ばれます。通常、欧米のコンサルの人間がファシリテーターを務めます。パートナリングのメリットは、問題を早期に顕在化させ、解決できること、正式文書を出さずにmeetingで解決できるので、不必要な書類が大幅に削減できること、関係者が同じ船に乗って問題解決にあたるので、プロジェクトを効率的に進められること、そして、最も強調されるのは、プロジェクト完了時点では、全ての課題が解決されているので紛争がないこと、が挙げられています。

このような話を聞いて、私が思ったのは、従来のアングロサクソン的契約案件では、FIDIC（Federation Internationale des Ingenieurs-Conseils：国際コンサルティング・エンジニア連盟）にあるDispute Adjudication Board（紛争裁定委員会）で紛争解決を図るのですが、そこには欧米のコンサルが入ってくる。一方、パートナリングの場合でも、ファシリテーターとして欧米のコンサルが登場する。結局、どちらの形態をとっても欧米のコンサルが利益を上げるような仕組みを作っているな、ということです。また、パートナーが同じ土俵に立てるレベルならよいのですが、我々が仕事をしている開発途上国では、恐らくうまくいかないだろうと思いました。

セミナーでは、パネルディスカッションがあり、パネリストの一人である鹿島建設の海外支店次長の山本幸治氏は次のような話をされました。「発注者と請負者の間に、ファシリテーターがいて、プロジェクトをスムーズに進行してくれれば、非常にありがたいことです。実際は、私どももファシリテーターではなくて、現場の所長がその役割をやっています。問題が起こりそうになると、所長は関係各所に説明し、調整し、問題が大きくなることを未然に防ぎます。これを日本では『根回し』と呼びます。このような所長のプロジェクトはうまくいくし、このような所長がいないプロジェクトはうまくいかない。はっきりしています。」私の感じたことをうまく表現されたなと思い、共感しました。

国交省は直轄工事について施工段階の「三者会議」を一昨年から試行していますが、パートナリングを関係者間の信頼をベースとした協力・協働関係と捉えれば、これも日本的パートナリングと考えられると思います。このパートナリングという発想は、欧米の契約社会が仲裁や訴訟で疲れてきた結果、登場してきたのではないでしょうか。

パナマ運河

パナマ運河拡張計画のうち最大プロジェクトとなる第3閘門の設計施工者を決める予備審査に、大成建設が参加するコンソーシアム（企業連合）が参加申請しました。大成建設は、三菱商事とともに、ベクテル（アメリカ）を代表とする企業連合に加わっています。そのほかに参加申請をした三つの企業連合は、

▪ACS（スペイン、代表）、ホーホティィーフ（ドイツ）

■ブイーグ（フランス、代表）、B＋B（ドイツ）、バンシー（フランス）
■サシール・バルエルモソ（スペイン、代表）、インプレジーロ（イタリア）

と、ヨーロッパの著名な建設会社が名を連ねています。同工区では、太平洋側とカリブ海側の2カ所に閘門を設置、各閘門には三つの閘室（長さ427m、幅55m、深さ18・3m）を設置、各閘室に三つの貯水槽（幅70m、高さ5・5m）を設置します。パナマ運河拡張計画の総事業費は約6400億円と言われていますが、この工区の事業費が約60%を占めるそうです。

さて、大成のcorporate messageは皆さんご存知の『地図に残る仕事』ですが、パナマ運河拡張工事は、まさに地図に残る仕事です。この案件の話があったときに、大成の関係者は少なからず「自分たちの出番だ」と感じたのではないでしょうか？　ビジョンとかこのようなcorporate messageは、組織のメンバーの心を一つにしたり、意欲をかきたてたりする効果を発揮することがあるので、重要な意味があります。

鹿島のcorporate messageは『100年をつくる会社』で、現場に掲げてありますね。当社も現在、corporate messageを検討中ということですので、どのような言葉になるか楽しみです。私は、当社が『安心を世界に提供するプロ集団』になって欲しいと思っているのですが、corporate messageとしてはちょっと長い言葉ですね。皆さんなら、どんな言葉にしたいですか？

周礼良さん

台湾の周礼良さんが台湾のBOTプロジェクトについて東大で講演をするという話を聞きつけて、25日にそのワークショップに参加しました。周さんは私と大学の修士課程の同級生ですが、コンクリートの岡村先生の下で博士課程を終え、台湾に帰国し、台北地下鉄建設に携わった後、台湾新幹線や高雄地下鉄の建設プロジェクトにBOT方式の入札契約および工事執行システムを導入し、総責任者として工事の実施に関わるすべての行政に携わりました。その後、交通部政務次長（日本で言うと国交省政務副大臣）を務め、昨年10月から高知工科大学COE（Center Of Excellence）の特任教授として来日しています。周さんとは台湾で何度かお会いしたり食事をしたりしましたが、とても気さくな人で、いつ会っても気軽に話をしてくれます。今回、周さんは私が行くことを知らされていなかったので、驚くと同時にとても喜んでくれました。

周さんの話の中心は高雄地下鉄プロジェクトでした。30年ほど前から計画はあったけれど、なかなか進まなかった直接の原因は、高雄市議会の承認が得られなかったことですが、周さんが局長に就任してから、BOTのスキームを確立させ、強力な遂行体制を整えることによって、この事業が急速に進みました。建設期間中も数々の問題が発生しましたが、責任と権限が全て周さんに与えられていたので迅速に解決できたことと、何よりも高雄市長（謝長延、現民進党党首）から全幅の信頼を受けていたことが建設までの事業成功の要因だとのことです。来月から1路線の運転が開始されますが、当初予定よりも1年早い運転開始だそうです。ただし、BOTなので最終的にこの事業が成功したかどうかは、まだ誰にもわからないとのことでした。

地下鉄と言うと「人を運ぶ」ことだけを考えがちですが、周さんは高雄地下鉄プロジェクトを通じて都市改造も実施しています。著名なデザイナーに地下駅内のガラスデザインをさせる、駅地上部の景観デザインや公園の開発、そして4駅の上部の道路2・5㎞を美麗島（台湾のことです）大道と名づけ、片側の歩道幅を4・5mから11・5mに拡げ、2列の街路樹を配置し、市民の憩いの場にしようとしています。これら全て自分で提案し、実施したそうです。

周さんは市長からの信頼、市長への信頼、同僚への信頼、工事を遂行した日本の建設会社への信頼を、高雄地下鉄建設の成功要因の筆頭に挙げます。そして、そのことを『信任』という本にまとめ、昨秋出版しました。1冊もらいましたので、興味ある方は連絡ください。ただし、中国語です。もう一つ、周さんの話で印象に残ったのは、『何か新しいことをやろうとする人がいれば事業が進む』という言葉です。私は、高雄地下鉄とともに高雄を市民のために美しい街にしようとしている周さんの熱意を感じました。以前から感じていますが、台湾は日本に比べて変化（進歩）が速いのです。それは単なる経済発展ということよりも、国を美しくしようとか国民の生活レベルを向上させようとかする熱意を持った人が多くて、さらに、それらの人の熱意がシンプルに実現していけるような行政や社会の仕組みになっているように思うのです。日本に比べて、周さんのように実際政治を動かしている人が、市民に近いところにいることが、台湾の強みになっているような気がします。

クレーム処理

請負者が要求仕様変更や現場状況の変化などによる追加コストの回収に失敗する最も一般的な理由は、クレームの裏付けとなる証拠が不十分であることと言われています。あるクレームを証人陳述等の事後に作成された証拠によって立証することができたとしても、それらの証拠が当時作成された記録に基づいたものでなければ、説得力が弱くなってしまうことでしょう。したがって、現場で起きた事象および、それらの結果について正しく記録を残すシステムを構築することが大変重要になってきます。

FIDICの1999年版契約約款では、全ての期間延長（extension of time）および追加費用（additional cost）のクレームに関して、該当する時点の記録が残されているべきであると定めています。同契約約款第20.1条には、建設事業者はエンジニアに全てのクレームの通知を行い、「クレームを裏付けるのに必要な当時の記録」を残すよう求めています。請負者がクレームを提出する際には「クレームの原因および期間延長、追加的な支払いの要求等を裏付ける事実」等を含むクレームの「詳細」を提出します。

建設・エンジニアリングのプロジェクトにおいて常に残しておくべき記録の中で、最も重要なのは進捗報告書とミーティングの議事録だと言えるでしょう。これらはプロジェクトのある時点で何が起きていたかを示す信頼性の高い指標として扱われています。議事録作成にあたって重要なのは、自分自身が議論の記録をとり、議事録が回覧された場合にはそれらを自分の記録と照らし合わせチェックすることです。これにより、必要な場合には議事録に修正を加え、実際行われた議論を正確に記録することができます。また、発注者から口頭で受けた指示なども請負者内で記録として書き留めておけば、それは有効な証拠となります。

右記の内容は、請負者が期間延長および追加費用のクレームを全ての記録がそろっていなければ行う権利がないということを意味しているのではありません。クレームを行う権利の有無は、契約書の文言の問題です。しかし、クレームは証拠によって裏付けられる必要があり、請負者は証拠が失われてしまったことや存在しないことによりクレームが認められないリスクを負うよりも、日頃から正しい記録を残す習慣をつけることが望ましいと思われます。

海外の国際プロジェクトでは、クレーム処理が重要な要素になります。私も台湾新幹線プロジェクトを経験して、クレームの証拠となる記録やauthorityのevidenceが非常に重要であることを痛感しています。今回のWeekly Mailは、記録の重要性の話ですが、これは、国際プロジェクトだけではなく、国内のプロジェクトにおいても同じことが言えると思います。

八田與一

『パッテンライ!!〜南の島の水ものがたり〜』というアニメーション映画が5月8日からシネマート新宿で上映されたので、初日に観に行ってきました。この映画は、八田與一が台湾の烏山頭ダムを造った時の話を題材にしたもので、どちらかと言えば子ども向けの内容になっています。「パッテンライ」とは台湾語で「八田さんが来る」という意味です。映画自体は、「八田さんのような土木技術者になって、皆の役に立とう」ということが出過ぎている感じもしましたが、子どもには分かり易くていいかもしれません。

私が「八田與一の烏山頭ダム」を知ったのは、台湾のLNG地下タンクの設計担当をしていた頃で、17年くらい前だと思います。そして、初めて烏山頭ダムへ行ったのは、台湾新幹線の現場に赴任した年なので9年前になります。烏山頭ダムは我々の工区から車で20分くらいのところにありました。新幹線の路線には何カ所かの河川横断部があったので、工事開始時に関係河川を管轄する第六河川局(烏山頭ダムも管轄)へ挨拶に行ったところ、局長の歓待を受け、昼なのに局長以下20名程の宴会になりました。その場で私が八田與一の話をすると、「八田さんは素晴らしい人だ」という話で一気に盛り上がり、日本人は私一人だったので乾杯の集中攻撃を受け、完全に酔っぱらってしまいました。八田與一という人が台湾の人々に尊敬されていることを実感した体験でした。その後、新幹線の現場にいるときは、個人的にも何回か行きましたし、日本からのお客さんを何人も案内しました。20回ぐらいは行ったと思います。『京都インクライン物語』などの著書で有名な作家の田村喜子さんが訪問された時は、私がご案内しました。

八田與一の功績は、当時東洋一の巨大ダム、取水トンネル、1万6000㎞に及ぶ用水路網を完成させたことではありますが、台湾の人々から尊敬されているのは、工事中とその前後に彼が終始変わらず見せた地元住民への深い愛情と奉仕の精神です。また、八田與一が最も称えられるべき点は、洪水・渇水・塩害の三重苦に苦しんでいた嘉南平原の人々を救いたい一心でこのプロジェクトを計画し、難工事を完成させたことにあると思います。まさに、「人々が安心して生活できる環境を提供した」ということです。烏山頭ダムによって、台湾に15万haの肥沃な土地が生まれました。新幹線の工事中には、烏山頭ダム建設当時に造った用水路が干渉する箇所がいくつかあり、移設をしましたが、当時の用水路を壊したときには感慨深いものがありました。

台湾の中学校の教科書では、八田與一の功績が紹介されています。日本人よりも台湾人の方が八田與一のことを勉強し、親しみがあるのではないかと思います。今回のアニメーション映画は、大阪・名古屋でも上映されますが、少しでも多くの子どもたちに観てもらい、人生観や責任感を養う一助になればいいなと思います。台湾では、烏山頭ダムを世界遺産に登録しようとする動きがありますが、台湾がＵＮＥＳＣＯに加盟できていないので、日本と共同で申請するようになりそうです。

台湾の国道1号線から烏山頭ダムへ入る辺りには、「飲水思源」という標語が掲げてあります。直訳すれば、「(日頃当たり前のように使う水ですが) 水を飲むときには、その水の水源のことを考えましょう」ということです。ただし、烏山頭ダム近辺にあるこの標語には特別な意味があります。すなわち、「水を飲むとき、水の恩恵にあずかるときには、水源である烏山頭ダム、烏山頭ダムを建設した人々、建設を計画・実施した八田與一さんへ感謝しましょう」という標語なのです。

ICOSSAR

先週は、4年に1回のICOSSAR(構造物の安全性と信頼性に関する国際会議)が関西大学で開催され、参加しました。掲載論文数540編、参加者約400人(38カ国)でした。私は1989年のサンフランシスコのときに論文発表したのが最初で、それ以来、台湾にいたとき以外は論文発表しています。今回は、帝石直江津の現場にいるS君に発表してもらいました。論文内容は、一昨年改訂された港湾基準の中で規定されている直杭式桟橋の部分係数をどのように決定したかを紹介したものです。S君にとっては、国際会議で初めての発表だったこととともに、会議の雰囲気や進行方法など、貴重な経験になったと思います。できるだけ多くの人に、特に20代、30代の人に、このような経験をして欲しいと思っていますので、自分に適した国際会議に関する情報収集などにも心がけてください。

私は、１９８6年から3年間ミュンヘン工科大学で客員研究員をしていましたが、その時の同僚にデンマークからきたMichael Faberがいました。研究内容は違いましたが、一緒にテニスをしたりして遊んでいた友人です。そのMichaelは、10年前からチューリッヒ工科大学でProfessor Faberとなり、2年後にチューリッヒで開催する国際会議のchairmanを務めます。彼の元には東大の建築学科出身のSさんという若い研究者がもう5年近く働いています。今回そのSさんの発表を聞きましたが、とても伸び伸びと自信を持って研究している様子がうかがえて、頼もしく思いました。「そう言えば、自分もあんな感じだったんだろうな」と昔を思い出したりしていました。

今回のＩＣＯＳＳＡＲでは、全般的に研究内容に昔ほどのエネルギッシュさを感じませんでした。20年ほど前は、今までやられたことのない事象の定式化や計算手法の開発を他の研究者よりも早く発表することにしのぎを削っている感じでした。同様の研究をしている人から情報を得たり、議論したりすることがよく行われていました。私自身も当時「構造システムの動的信頼性の定式化」や「補修を考慮した構造システムの経時的な信頼性の定式化」といった最先端の研究を行い、最先端の研究者達のグループに属していたので、活気があるように感じたのかもしれません。しかし、それとは別に、信頼性解析に関する理論的な部分では最早新しいテーマを見出すことが難しくなっていることも活気のない原因だと思います。多くの論文が信頼性解析をapplicationに適用した内容になっていました。

Michael Faberと話をしている中で、来春ミュンヘン工科大学でIFIP（情報処理国際連合）のWG7・5（構造システムの信頼性と最適化）の国際会議があるという話を聞きました。そして彼が続けて言うには、「その会議のchairmanは、僕の最初のdoctor studentで、今ミュンヘン工科大学の教授なんだ」とのこと。「我々も歳をとったなぁ」と二人で苦笑いした次第です。

日本人のイメージ

それぞれの国民性のイメージがジョークとなって定着していくことがありますが、日本人はどんなイメージでとらえられているのでしょうか？

『ある世界的なコンクールが行われた。
開始1時間前にドイツ人と日本人が到着した。
30分前にユダヤ人が到着した。
10分前にイギリス人が到着した。
開始時刻ピッタリにアメリカ人が間に合った。
5分遅刻して、フランス人が到着した。

15分遅刻してイタリア人が到着した。

30分以上経ってから、スペイン人がようやく現れた。

ポルトガル人がいつ来るかは、誰も知らない。』


『国際的な学会の場で遅刻してしまったために、発表の持ち時間が半分になってしまった場合、各国の人々はどうするだろうか？

アメリカ人……内容を薄めて時間内に収める。

イギリス人……普段通りのペースでしゃべり、途中で止める。

フランス人……普段通りのペースでしゃべり、次の発言者の時間に食い込んでも止めない。

ドイツ人……普段の2倍のペースでしゃべる。

イタリア人……普段の雑談をカットすれば、時間内に収まる。

日本人……遅刻はありえない。』


時間に関しては、各国がおよそこのようなイメージでとらえられていて、日本人はとにかく時間を守る国民だと認識されているようです。


『国際会議において有能な議長とはどういう者か？

それは、インド人を黙らせ、日本人をしゃべらせる者である。』

これは、国際会議に参加すると、正にその通りの体験ができます。バンケットなどでもそうですね。よくしゃべるのは、インド人とともに、東欧諸国からアメリカにきた人達で、日本人はというと大体しゃべらないですら笑いを浮かべている人が多いようです。ドイツ人もあまりしゃべりません。

日本は、「最先端技術の国」、「模倣が上手い」、「裕福な国」、「真面目、勤勉」、「会社人間」、「集団行動をする」、「主張が弱い」、「英語が下手」、「時間に正確」などの特徴でとらえられているようです。このようなイメージは、世界の平均値からのズレを表している指標なので、国際感覚を理解しようとするときの参考になると思います。

職業に貴賤なし

先日、社内で「国際感覚を身に付ける」ということが話題になったことがありました。一言に国際感覚と言っても様々な観点があるので、どういう状態が国際感覚を身に付けた状態かは一概には言えません。国際的なビジネスルールに着目するならヨーロッパ流に目を向けるのでしょうし、我々が多く活躍している東南アジアですと、各国特有の商習慣や生活習慣を身に付けることが重要だと思います。日本人の中には「日本でやっていることは外国でも通用する」とか、「日本の方がレベルが高い」などと勝手に思い込んで行動している人が少なからずいることも事実であり、国際感覚の欠如を感じることがあります。といっても私の経験の中での国際感覚ですけどね。

私が二十数年前ドイツにいた時のエピソードを一つ紹介しましょう。教授と私が、パソコンのスクリーンに表示されている計算結果を見て議論していた時のことです。計算結果が思わしくなく、どういう点に問題があるのかといった議論をしていたと思います。その時、掃除のおばさんがいつも通り部屋に入ってきました。そして、我々に向かって「掃除をするのでそこをどいて下さい」と言います。真剣な議論をしていた教授が「今忙しいから後にしてもらえませんか？」とちゃんと丁寧にお願いしたところ、掃除のおばさんは「私も忙しいんです」と言います。それを聞いた先生は、仕方ないなという表情で私とともに部屋の外に出たのでした。

文章で書くと雰囲気が伝わりにくいかもしれませんが、ごく自然に右記のやり取りや行動が行われたことが私には印象的でした。日本人の感覚だと、大学教授が「少し後にしてくれないか？」と頼んだら、掃除のおばさんはその言葉に従うのではないかと思いますが、それとは違う状況を経験したのです。それ以降、ドイツ語のBeruf（職業）という言葉には、神から与えられたというニュアンスがあることを知り、また、ドイツのマイスター制度の根幹をなすのがありとあらゆる業種の国立専門学校であることなどを思うと、「職業に貴賤なし」という感覚がわかるような気がしてきました。これも国際感覚の一つだったと思います。

職業だけではなくて、「上司は部下よりもエライ」という感覚をすりこむように、昇格することを「エラくなる」という言い回しで表現することは、国際感覚からはかなりずれた言動ですね。たとえば、社長と係員のどちらがエライなんていうことはヨーロッパ人の発想にはないわけです。社長は社長の仕事を与えられ、係員は係員の仕事を与えられ、それぞれが与えられた仕事を責任を持って遂行するということであり、どちらの仕事が上とか下とかいう発想をしないのが、ヨーロッパ流だと思います。誰が名付けたか知りませんが、「上司」「部下」という言葉遣いも国際感覚からはずれていますね。終身雇用の時代はそのような言葉も使えたかもしれませんが、日本でも諸外国では当たり前に行われているように、自分の能力、資格、技術力を持って職場を渡り歩くような状況になれば、このような言葉遣いはなくなっていくでしょう。

今の自分に与えられている役割は、自分にしかできないということを自覚して、自分流に責任を持って遂行し、そして自分のやっている仕事（職業）に誇りを持つことが、国際感覚の中でも重要な点であると思います。

テルツァーギ

ゴールデンウィークは、皆さん有意義に過ごされたでしょうか？　私は、1泊旅行、日帰り旅行、美術展のはしごなどで楽しみましたが、今回のゴールデンウィークで一番楽しみにしていたのは、ある本を読むことでした。それは『カール・テルツァーギの生涯』（地盤工学会発行）という本です。この本は4年前に発刊されて、その時は、「読んでみよう」と思っていたのですが、いつの間にか忘れてしまっていました。それが最近、ある大学の先生の部屋にお邪魔した時に、書棚にその本を見つけたので、先生にお願いして貸してもらうことになったものです。

本の著者のグッドマン博士は、５年の歳月をかけて、テルツァーギの日記82冊を読破・翻訳し、テルツァーギを知る人々とのインタビューを行い、１万５千通の書簡、無数のエッセイ・出版物・報告書を精読することにより本書を完成させました。序文はペック博士であり、和訳をされたのは東洋大学名誉教授の赤木先生です。赤木先生は、１９５８〜１９６０年にイリノイ大学でペック教授の研究助手をされていた時に、テルツァーギ先生の特別講義を聴いたそうです。「土質力学（Soil Mechanics）の父」と言われるテルツァーギの伝記を完成させたグッドマン博士とその和訳を地盤工学会から発刊して日本の土木技術者に紹介した赤木先生の熱意にまずは感心しました。そして、この本の素晴らしいところは、テルツァーギが１９５７年にハーバード大学で行った講演とペックによるその講演の紹介（１９６５年）がＣＤで付いていることです。テルツァーギとペックの声が聴けるのです。

本を読んでテルツァーギは大学の研究者というよりは、実務的な技術者であったということがわかりました。彼は実務での数々の事故を見聞するにつけて、その本質的な原因を解明するには当時の土木地質学では限界があると感じていました。どうしても土質材料の工学的な性質を数値によって表現する方法が必要であると思ったのです。当時34歳だったテルツァーギは、コンスタンチノープルにあった王立オスマントルコ工科大学におり、以後7年間、手作りの実験装置を使って数々の実験データを分析し、1925年に『土質力学（*Soil Mechanics*）』と題する本にまとめ出版しました。彼の研究業績の核となるのは、トルコで研究に没頭していたこの7年間だったようです。以後は、彼は大学教授でもありましたが、もっぱら現場に軸足を置いたコンサルタントとして活躍したことがわかりました。

1883年にオーストリアのグラーツで生まれたテルツァーギは、ロシア・ハンガリー・セルビア・トルコ・アメリカ・ドイツ・イギリス・インド・ブラジルなど様々な国で仕事（軍人としても）をしていますが、その中心にあったのは、真実の探求心と真実を実務へ展開しようとする実務者としての立場だったように思います。ペック博士によると、様々な友人がテルツァーギに講義を録音するように依頼したけれど、彼は一貫して断り続けたそうです。テルツァーギが自分の英語能力が不適切だと思っていたのかもしれないとペック博士は言っていますが、ドイツ語なまりのテルツァーギの話は（録音当時73歳ですが）日本人の私からすれば非常に分かりやすい英語です。そのような言葉の問題は外国人の場合、常にハンデにはなりますが、とにかく実務者のcivil Engineerとして活躍できる場なら国は問わないというテルツァーギの姿勢には見習うべきものがあります。

テルツァーギの講義の録音テープを1965年にペック教授からコピーさせてもらい、40年間も大事に保管され、『カール・テルツァーギの生涯』という本の発刊とともにCDを日本の読者に公開して下さった赤木先生に感謝したいと思います。

芸術文化都市ミュンヘン

芸術の秋、文化の秋になりましたね。今回は、芸術文化の街と言われているドイツのミュンヘンについて紹介します。

圧倒的多数のドイツ人が、暮らしたい街のトップにミュンヘンを挙げるのですが、その第一の理由は、「芸術・文化の街であること」だそうです。ミュンヘンの街には、アルテ・ピナコテークという有名な美術館があります。デューラーやルーベンスのコレクションも多いのですが、私はイタリア絵画展示室にあるラファエロの3枚の聖母子の絵が好きで、中でも『テンピの聖母』が一番気に入っています。聖母子の絵というと、どこかに十字架やバラの棘などが描かれていて、キリストの磔刑を暗示するものが殆どですが、この絵にはそのような細工もなく、マリアが愛情あふれる様子で幼児キリストを抱いて歩いている動きが感じられて、他の聖母子の絵とは一線を画しているように感じられます。

ラファエロの最高傑作と言われる『テンピの聖母』ですが、この絵は元々フィレンツェの貴族テンピ家が所有していたものを、バイエルン王のルードヴィッヒ一世が20年にわたる懇願と莫大な金をもって購入することができたものです。ルードヴィッヒ一世の孫のルードヴィッヒ二世は、これもまた莫大な国費を投入してノイシュバンシュタイン城を建てたことで有名ですね。ルードヴィッヒ一世は元々は数学と物理が得意でしたが、18歳の時に初めてイタリアを訪れ、そこで目にした絵画や彫刻に心を揺さぶられ、それ以来、イタリア絵画を買い集めるようになりました。そうして、収集された絵画を中心に展示しているのが、当時最高の建築家クレンツの設計によって建てられたアルテ・ピナコテークです。

19世紀初め、ナポレオン失脚後のドイツにあって、オーストリアとプロシアという二大強国に挟まれたバイエルンは、芸術によって国際的な地位を高めようと考えたという説があります。いずれにしろ、ルードヴィッヒ一世がバイエルンの首都ミュンヘンを誰もが憧れる文化都市にしようと都市建設を推進したのは事実です。ミュンヘンに芸術大学を創立し、そのような基盤を作ったこともあって、19世紀末にはミュンシャなどの多くの芸術家達がミュンヘンの街で活躍したのでした。『テンピの聖母』が飾られることで、アルテ・ピナコテークは名実ともに芸術文化国家バイエルンのシンボルになり、ルードヴィッヒ一世の夢は実現していると言えるでしょう。

１８１０年10月に開催された、ルードヴィッヒ一世の結婚のお祝いの祭りが、「オクトーバーフェスト」となって現在も続いていることは、ご存じの方も多いと思いますが、今では世界最大のビール祭りとなって、世界中から観光客を集めています。今年は２００周年ということで、特に盛大だったようです。９月18日から10月４日までの17日間の開催でしたが、普段は何も設置されていない広場に、この期間中だけ、絶叫マシンも含めた遊園地が設置されます。通常年だと７００万人が来場すると言いますが、今年は２００周年だからかなり多かったのではないかと思います。最初の週末に飲まれたビールが１００万リットルを超えたと聞きました。

バイエルンの人は、平均して日本人の3倍のビールを飲んでいるという統計がありますが、これも長い年月をかけて培われてきたバイエルンの文化の一つと言えます。ミュンヘン郊外には1040年に創設された世界最古のビール工場が現在もビールを生産していますし、1516年にはビール純粋令（ビールの材料としては、麦芽・水・ホップ・酵母以外のものを使ってはならないという内容）を制定して、以来その法律を頑なに守ってビールの品質を保っているのです。このようなビールに関する文化には感心するしかありませんね。

芸術都市にしようとした国王がいて、芸術・文化を大事に引き継いできた国民がいることで、現在の芸術文化都市ミュンヘンがあります。今年の芸術の秋、文化の秋にも、芸術に関する新しい発見などを楽しみたいと思います。

ドイツビール（その1）

残暑が厳しい日が続いています。こんな時は、仕事帰りの冷えたビールが美味しいですね。そこで今日は、ドイツビールの話をしたいと思います。

ドイツには約1300の醸造所があり、そのうち半数近くはバイエルン州にあります。国民一人当たりのビール消費量は、多い方からチェコ、ドイツ、オーストリアの順ですが、バイエルンの消費量はチェコを上回っており、日本人の消費量の約3倍程度飲んでいます。ドイツビールには様々な種類があります。材料の違い、発酵の違い、醸造方法の違いなどによるもので、それぞれに名前がついています。そして、そのビール毎にグラスの形が決まっています。ヘレスは普通の円筒形のグラス、ピルスはワイングラスを長くしたようなグラス、ヴァイスビアだと背の高い円錐形のグラスになります。ビールの種類とグラスの組み合わせを間違えるとドイツ人にはかなり違和感があるようです。みそ汁のお椀でコーヒーを飲むような違和感だと思います。デュッセルドルフにはアルトビアという上面発酵ビールがあります。このビールは濃い琥珀色で、小さなグラス（２００cc）で出てきますが、わんこそばのように、グラスが空になると、どんどんつぎ足されます。デュッセルドルフの酒場でアルトビールを飲みながら議論伯仲してくると、ケルッシュに替える場合があります。「おまえとはこれ以上議論したくない」という意思表示です。ケルッシュとはケルンのビールで、デュッセルドルフとケルンは昔から仲が悪いのです。

　ミュンヘンの北30㎞程にフライジングという町があり、そこにヴァイエンシュテファンという世界最古のビール工場があります。１０４０年に醸造を始めたビール工場は、現在ミュンヘン工科大学の醸造学部の施設になっています。一度、その工場をブラウマイスターの案内で見学させてもらったことがありますが、中は近代的な普通のビール工場でした。何種類もビールを試飲させてもらい、その美味しさには正直感動しました。ワインの試飲は口に含んで吐き出してもよく、何杯でも試飲できますが、ビールはのど越しが重要なので、試飲の際は小さなグラスですが飲み干すのが基本です。出来たての活きのいいビールを何杯も飲み干して試飲が終わった後、食事でまたビールですから、かなり酔っぱらってしまいました。ドイツのビールは確かに美味しいのですが、なぜ美味しいかをヴァイエンシュテファンにいた日本のビール会社の人に尋ねたことがあります。「材料は金を出せば手に入るし、水はどこの水でも造ることができる。製造設備は日本の工場の方が進んでいる。ドイツビールの美味しさの秘密は、最後のブレンドの方法だと思う。そこの過程については、我々には見せてくれない」という説明でした。

ドイツのビール瓶というと500ccのこげ茶色で統一されており、空き瓶を回収して何度も再利用して、環境に配慮しているなと思っていましたが、その輸送にかかる資源（ガソリン）と空気汚染（排ガス）を考慮すると、醸造所から400km以上輸送する場合は、かえって環境に悪いという意見も出ています。そこで、ビールをペットボトルに詰める試みもあり、品質、味わいなど全ての点でガラスのボトルと変わらない結果が出ているそうです。後は、ボトルの色や形を工夫して、飲む人の心理的な問題を解消するだけだということですが、まだペットボトルのビールにはお目にかかったことがありませんね。

さて、ビールの品質を頑なに守っているドイツですが、その他のものでも、食品から衣料、建物の建材まで「自然なもの」を高品質なものと認識して、大切にしようとしているのを感じることがよくあります。ドイツ人の環境問題への真摯な取り組みは、その基盤に「自然が好きで、大切にしたい」という確固とした意志があることは見逃せません。日本でよく耳にする「環境に配慮した……」などの建前だけの言葉とは全く異質のものであると感じています。

海外の設計施工案件への対応

設計と施工のバランスについて考えさせられることがあります。設計の方で、出来る限り経済的な設計をしても、施工精度が伴わなければ、施工誤差（不具合）に応じて設計変更する必要が生じて、工期遅延という事態にもなりかねません。今日は、私がこのことを痛感した「台湾新幹線プロジェクト」の話です。

台湾新幹線では、Designerの設計コンサルとは別に、設計審査を行う設計審査コンサルを雇っていました。私は当初、「当社としても設計審査をするべきではないか」と社内で提案しましたが、「設計審査コンサルを雇っているのだから、当社のチェックは不要である」という方針に押し切られて、我々は設計チェックをしないで、最小限の設計人数（日本人2〜3人）でプロジェクトを遂行することとなりました。契約書では、「経済的な設計であることのチェック」は設計審査コンサルの責任であり、さらには、設計責任も設計コンサルではなくて、設計審査コンサルが負っていたので、信頼がおける合理的な設計審査が行われるものと割り切って、プロジェクトを進めました。

プロジェクトがある程度進行して、軌道に乗ってきた頃だったと思いますが、ある会合の席でDesignerの台湾の設計コンサルの責任者が私に「我々の設計は十分conservativeだ。余裕のない設計をしてしまうと、施工誤差を吸収できなくなる」ということを耳打ちしました。私も、計算書をぱらぱら見ていて、随分余裕のある安全性照査をしていることに気付いていました。ただ、設計審査コンサルも、安全性照査に余裕のあることには追及していませんでした。

橋脚の基礎杭の杭打ちが進み、フーチングの施工が始まる頃になると、杭の位置がずれている箇所がいくつも見つかってきました。杭の位置がずれるたびに、設計の方では、構造安全性のチェックをする必要がありました。あまりずれていると、杭を増し打ちして、フーチングの形状も変える必要があり、工期遅延につながります。このような杭のずれが続き、設計チェックをしてわかってきたことは、「杭のずれが70㎝程度以下なら、オリジナルの設計でも大丈夫だ」という事実でした。台湾の設計コンサルの設計には、その程度の余裕が見込まれていたのでした。結果として、杭の施工誤差によって、設計変更する事態に追い込まれることはありませんでした。設計の余裕が、施工精度の悪さをカバーしていたと言えます。

一方、時間的に余裕があった時に設計担当の日本人が、ある部材の配筋量をチェックして、鉄筋量を若干低減したことがありました。断面図では少しの鉄筋量低減でしたが、28・5㎞という延長がある工区だったので、1億円以上のコストダウンにつながりました。

さて、このような経験を踏まえた私の考えを述べます。まず、海外で設計施工プロジェクトに携わる場合は、設計にはある程度の余裕を見込んで、施工精度をカバーする必要がある場合があります。ただ、もっと重要なことは、ランプサム契約の場合ですが、実施設計で設計数量を低減してコストダウンをはかるなら、当社の設計部がしっかりとしたチェックをして経済的な観点で設計審査を行うとともに、施工管理の人間を増やして（台湾新幹線プロジェクトの施工チームには7名の日本人がいましたが、その数を6名程度増やして)、設計に対応した施工精度を確保できる体制を整えることです。台湾新幹線プロジェクトの場合だと、人件費で5億円くらいは余分にかかることになりますが、それによって、設計数量の低減とともに、施工不具合も防止できて、20億~30億円はコストダウンすることができたと思います。

海外で設計施工案件を実施するときには、設計と施工のバランスを考慮して、最適な対応策で臨むことが重要ですので、皆さんもよく認識しておいて欲しいと思います。

話しかけることの国民性

最近(ここ10年程度ですが)、混雑している電車で、声をかけずに他の人を押しのけて降りる人が増えてきているのが気になります。以前は、ほとんどの人が、「降ります!」とか「失礼します」とか言って、自分が降りることを周りの人に知らせて、『ちょっと身体が触れてしまうけど、ごめんなさい』という暗黙の了解をとっていたと思います。メールをコミュニケーションツールとすることが急速に広まっていますが、反対に、面と向かって話したり、電話をしたり、直接会話をすることが減っていることに関係があるのでしょうか?

話しかけるという行為一つをとっても、お国柄、民族性、国民性が現れます。ある調査によると、日本では電車の中で他人に話しかける人は1割程度ですが、アイルランドでは殆どの人が話しかけると回答しています。ただ日本と言っても、東京の山手線と地方のローカル線とでは状況が違うと思います。ローカル線に乗っていて、地元の乗客と話をした経験は、皆さんにもあるのではないでしょうか？ ヨーロッパの都市間を結ぶ電車のコンパートメントや地下鉄の向かい合わせの席では、自然に会話が始まりますね。長距離列車だと「どこからきたの？」で会話が始まることが多いのですが、地下鉄などでは、色々なきっかけで話が始まります。「さっき教会で、この枝をもらってきたけど、何の枝か知っているか？」、「何を食べているんですか？」、「あなたが読んでいる新聞は何語なの？」等々。そんな環境に住んでいると、自分からも自然に話しかけるようになるから不思議ですね。

私がドイツに住んでいたときは、ドイツ人から道を尋ねられることが何回かありました。私が旅行者でないことは、格好や雰囲気でわかったと思いますが、わざわざ東洋人に聞かなくてもドイツ人に聞けばいいのではないかと当時は不思議に思いました。その状況というのは、『東京で、道が分からない時に、近くを歩いている外国人に日本語で道を尋ねる』ということと同じですが、普通は日本人に道を聞きますよね。この辺りのコミュニケーションや国際感覚も国によって違うので面白いですね。

アメリカでは、小さな店に入るなり、“Hi”と言って明るく迎えてくれます。また、初めてのパブへぶらっと入ったら、“How are you doing?”などと、ずっと以前から友達だったように迎えられるので、こちらも親しい友達のように、今日の出来事を自然に話し始めることになります。タクシーの運転手も話し好きですね。このように、アメリカは色々な場面でコミュニケーションを通じてこちらを明るく受け入れ、楽しい気分にさせてくれるので、居心地がいいですね。

外国に比べて、日本人には初対面の人とはなかなか会話をしない国民性があるように感じていましたが、最近はますます「話しかけにくい社会」に向かっているような気がしてなりません。こんな点でも、日本は世界標準から外れていっているのではないかと心配しています。

ブータン人の幸福度

ブータン王国では、１９７２年に第四代のジグミ・シンゲ・ワンチュク国王が提唱した「国民総幸福度＝Gross National Happiness（ＧＮＨ）」を建国の理念に掲げています。ＧＮＨが優れているのは、幸福というものを宗教的、哲学的に考えたりするのではなく、その実践に向けて数値目標を示したところにあります。その数値目標は、「持続可能かつ公正な社会経済開発」「環境保護」「伝統文化の振興」「優れた統治力」という四つの柱をもとにしています。さらにその柱を詳しく示すために、九つの指標を立てています。それは、「基本的な生活」「健康状態」「教育と教養」「環境の多様性と弾力性」「伝統文化の多様性と弾力性」「地域社会の活力」「時間の使い方」「精神的幸福」「良い政治」です。このようなＧＮＨという考え方は、国民によって新しく生産された財（商品）やサービスの付加価値の総計である「国民総生産（ＧＮＰ）」を基準とする国の発展を考える現代社会に大きな問題を提起しました。

２００５年にブータンで行われた国勢調査によると、国民の約97％の人が「幸福だ」「とても幸福だ」と答えており、「あまり幸せでない」と答えた人はわずか3％だったということです。「世界一幸せな国」として有名になったブータンですが、経済的に見て、それほど豊かでない国に住むブータンの人々は、どのようにして幸せを感じることができるのでしょうか？そこにはブータン人独特の考え方があるはずです。そのような考え方のいくつかを、最近発刊されたブータンに関する本から抜粋して紹介します。

『あなたが幸せなら、私も幸せです。』ブータンの人に「幸せですか？」と聞くと、最も多い返事がこの言葉だそうです。これは、周りの人が幸せになってはじめて自分の幸せが訪れるという考え方がもとになっています。これと同じ考え方ですが、「楽しく仕事をする方法は？」という問いかけに、ブータン大学の先生は次のように説明しています。「仕事は、〝人のためになるか〟という視点で考え、選択していくといいでしょう。人のためになる仕事なら、周りも手を貸してくれて、万事うまくいきます。反対に自分達のことだけを基準に考えると、その仕事はいずれ行き詰まってしまい、挫折や不満の種になります。」

ブータンには、『助けにならないなら、身内ではない。害にならないなら、敵ではない。』ということわざがあります。ブータンでは親を亡くした子どもが路頭に迷うようなことはありません。兄弟や親せきがお金を出し合って責任を持って育てます。身内を助けるのはブータンの人にとって当たり前の行いなのです。また、相手が害を及ぼさないことがわかると、積極的に心を開き、仲間になろうとします。このことわざもそんなブータンの人達の考え方を表しています。

『10頭牛を飼っている人がいました。彼は牛があまりにかわいかったので、親しい人に5頭を分け与えました。さて、残った牛は何頭でしょう?』ブータンの小学校の算数の問題です。「10頭の牛を持っている人がいました。ある日、その人は5頭の牛を盗まれました。何頭残りましたか?」と出題するのではなく、「かわいい牛を親しい人に分けて喜んでもらう」という人徳を含んだ言い方で出題するのだそうです。算数であっても、人としての道を教えるのが、ブータンの教育です。ちなみに、この算数の問題の正解は5頭ですが、もしかしたら、「かわいい牛は人にあげても自分の心の中にいるから、数は減らないと思う」という子がいるかもしれません。ブータンでは、この答えも二重丸をもらえるでしょう。

ブータンの人々の考え方に接すると、「実は私は幸せである」「幸せの青い鳥はすぐそばにいる」ことを教えられます。そして、私達日本人が忘れてしまった大切なことを思い出し、毎日を幸せに暮らすきっかけが見つけられるのではないでしょうか?

さて、来週は盆休みですね。ご家族と楽しい計画がある人も多いことでしょう。日本人は「楽しむためには出費はしかたない」と考えがちですが、たとえばドイツの人々は休日となると、のんびりとハイキングを楽しむ人が多く、金を使わずに余暇を楽しむ方法を身に付けています。皆さんも身近にある幸せを見つけて、楽しい盆休みをお過ごしください。

国際人の心構え

日本人も国際的に活動している人が増えてきて、だんだんグローバル化していくのだろうと思います。私が学生の時は、海外に行ったことがある友人はほとんどいませんでしたが、現在では、逆に殆どの大学生は海外に行ったことがあるのではないでしょうか？　一方、当社を見てみると、会社としては海外で仕事をしていますが、実際に外国に溶け込んで仕事をした経験がある人はまだ非常に少ないのが現状です。これから初めて海外で仕事をする人も多いと思いますが、私が考えていることや台湾での経験などを紹介します。

海外と言っても国によって国民性、物の考え方、商習慣、社会制度などが違っているので、これらの違いがあるということを認識することが最も重要です。日本の常識が別の国においては非常識であることがよくあります。したがって、自分の価値観を正しいなどと思いこむと相手との関係がうまくいかなくなります。国際人になるためには、「多種多様な考え方があることを認める」ことがスタートになります。日本人には、自分の価値観を押し付けようとする人が多いように感じますが、そのような態度は日本人の弱点であり、国際的には通用しないと思います。自分の考え方に固執すると、違う考え方を排除するような行動に出て、幅広い柔軟な思考に乏しくなります。私が台湾新幹線の現場にいた時ですが、ある問題について客先ともめていた時に、客先のアメリカ人のResident Engineer（ＲＥ）から電話がかかってきて、問題の解決策について議論をしたことがありました。お互いに自分の思うところを色々な観点から述べた後に、そのREが「あなたの考えが私の考えと違うことを理解しました」と納得した様子で電話を切ったのが印象的でした。

台湾では、「面子を大事にする」ということを時々体験しました。あるチームの会議に初めて参加した台湾の建設会社の技術顧問（60歳くらいの人）が盛んに自分の意見を主張したことがありました。その意見は、事実を正しく認識していない部分も含まれていたため、ほとんど意味のない内容でした。同席のイギリス人弁護士達は『困ったな』という感じで私に目配せしていました。しかし、その場で彼の意見の誤りを正すようなことをすると、彼は面子をつぶされまいとして、とんでもない反論をして、事態が収拾できなくなることが予想されたので、私は敢えてその場で彼の意見を正すことはせずに、会議が終わった後、彼を呼んで、事実誤認の部分などを説明してあげました。彼は素直に「あーそうだったのか」と納得してくれて、それ以降は私とはフランクに付き合う仲になりましたし、チームの強力なメンバーとして活躍してくれました。もし会議の席で、彼の意見を否定するような発言をしていたら、彼とはうまくいかなくなっただろうと思います。

もっと些細なことですが、他の人がいる所で、「この仕事はできるね？」と台湾人に尋ねると、全く経験がない仕事でも「できます」と返事をする人が少なからずいます。「これを知っていますか？」と聞くと、知らないことでも「知っています」と言うこともあります。台湾や中国で「できると言ったのに、全然できないじゃないか！」という経験をした日本人は沢山いると思います。台湾人や中国人の感覚では、皆のいる前で「知りません」「できません」と言うと自分の面子が立たなくなるからこのような返事になるのです。この「面子がつぶされる」という感覚は、日本人では理解できないと思いますが、台湾人や中国人にとっては、耐え難い屈辱であり、自分の心がズタズタになるほどのダメージとなるようです。台湾人や中国人に本当の話を聞きたいときは、一対一で話をする必要があります。

台湾雑感

台湾の人と親しくなると、プレゼントをいただいたり、一時帰国の時にお土産を渡してくれたりすることがあります。プレゼントというと洒落た物をイメージしがちですが、大体は果物などの大きな物でした。空港で大きなお土産を渡されて困ったという話も聞きました。どうやら台湾の人には、物量で気持ちを伝えようとする習慣があるようです。中秋節に配られる月餅は巨大で、単身赴任の身でしたから処理に困りました。そのようなプレゼントは真っ赤な包装紙で包まれていることが多いですね。

台湾の人々が一対一で話をしている状況を見ると、日本人と明らかに異なります。相手との距離が近い、その割には声が大きい、議論が長いということです。至近距離で大きな声で、しかも長時間しゃべる姿を見ていると、ＳＡＲＳが蔓延するスピードも速いのだろうなと想像したことを思い出します。ついでに言いますと、同じ内容の情報を伝達するのに、中国語は英語や日本語に比べると短い言葉数で伝えることができます。中国語圏の人々は会話による情報伝達量が格段に多いのではないでしょうか。

台湾の人々は日本人に比べると、自分の気持ちを素直に表現するように感じます。人の好き嫌いもストレートに表す人が多いですね。女性が「私は○○さんが好き！」と言って、顔を赤くしていることも珍しくありません。日本の女性は、なかなかストレートには「あの人が好き」とは表明しませんよね。最近は違うかもしれませんが。そのような日本人の奥ゆかしさは、美徳としてとらえられていると思いますが、台湾の女性が表現する素直なストレートさを見ていると、「日本女性よりも人生を楽しんでるんじゃないかな」などと感じてしまいます。台湾新幹線の我々の現場事務所で、あるローカルスタッフの男性エンジニアが「私は○○さんが好きなので、彼女がいるセクションに異動させてもらえませんか？」と言ってきたのには驚きました。日本人にはない感覚ですね。

宴会では、料理がどんどん出されます。主催者側は、料理がなくなると新しい料理を注文し続けます。台湾では、料理が残っている状態でお開きにするのが習慣なので、このような状況になるのです。ですから、招待された側には、わざと料理を残すような気配りが必要になります。『出していただいた料理は残したら失礼だ』などと勘違いしてはいけません。日本人が宴会で戸惑うのは、酒の飲み方です。台湾では、自分勝手に酒を飲むのはマナー違反にあたります。ではどうやって飲むかというと、ある人を「○○さん」と呼びかけて、アイコンタクトをして一対一で飲むのです。「乾杯！」と言ってしまったら、グラスでも紹興酒の杯でも飲み干し、グラスや杯を相手側に傾けて底を見せて『全部飲みましたよ』という確認をします。毎回乾杯していたら、すぐに酔っぱらってしまいますから、乾杯したくない時は「随意！」と言って、『自分は適量飲ませてもらいますよ』という意思表示をし、相手の同意を得てから飲みます。ただし、宴会では参加者全員と乾杯しなければならない状況が多々あります。その時はあきらめるしかありません。たとえば、20人の宴会だと、自分が主体者となって、他の19人と乾杯します。主体者がどんどん変わっていきますので、他の19名からの乾杯を受けることになります。ですから、一巡で38回の乾杯をすることになります。これが二巡することも珍しくありません。台湾や中国で宴会に参加する時には、体調を整えて、心して臨んでください。

世界ランキング雑感

様々な観点で、世界ランキングを見てみると、新しい発見があります。「自国に対する誇りを持っている人の割合」は、日本は61・1％で、調査した95カ国中92位でした。ヨルダン・プエルトリコ・ルワンダ・ガーナ・タイ・ベトナムは99％を超えています。「自国のために戦う人の割合」では、日本は24・6％で90カ国中最下位でした。他の国に比べて『誇りを持たない』『戦わない』と言っている人が多いのですが、一方で「自国は他国より良いと思う人の割合」は76・2％で34カ国中5位と高い割合でした。因みに、社会福祉先進国と言われている国々を見ると、スウェーデン40・9％（26位）、ドイツ38％（27位）、スイス25・5％（33位）で、少し意外な感じがします。

選挙のたびに『国民は政治に関心が少なく、無党派層が多い』と報道されます。投票率のOECD加盟国内のランキングを見てみると、日本は69・3％（2009年衆議院選挙）で、33カ国中ちょうど平均の17位でした。1位はオーストラリアの94・8％、低い方はアメリカ47・5％（32位）、韓国46％（33位）となっています。また「政治に関心がある人の割合」を見ると、日本は64・4％で、57カ国中8位であり、イギリス43・8％（27位）、フランス36・9％（41位）に比べるとかなり高い割合になっています。この調査結果を見ると、『日本国民は政治に関心が高い』と言った方が良いように思います。

『日本人は欧米諸国に比べて残業も多く、有給休暇をとることも少ない』と言われています。「有給休暇を年間5日以内しか取っていない人の割合」で日本は66・2％の6位（34カ国中）で、確かにあまり有給休暇を取得していないようです。しかし、フランスは71・7％（5位）、アメリカは63・2％（7位）ですから日本とあまり変わりません。ドイツでは、季候の良い夏に2カ月近くも長期休暇（Urlaub）を取る人も珍しくなく、夏近くになるとUrlaubの話で持ちきりになることも多いのですが、「有給休暇を年間5日以内しか取っていない人の割合」は48・3％（17位）と以外に高い割合であることに驚きます。次に、「あなたは『たとえ余暇時間が減っても、常に仕事を第一に考えるべきだ』という意見に賛成ですか？」という質問に対して「強く賛成」と答えた人の割合を見てみると、日本は2・6％で、調査した79カ国中最下位でした。余暇を大切にすると言われているドイツは21・4％で平均的な38位でした。この統計も意外でした。まとめると、『日本は欧米に比べて有給休暇の取得が少ないとは言えず、仕事第一と強く考えている人が最も少ない』ということになります。

最後に、A「たとえ経済成長率が低下して失業がある程度増えても、環境保護が優先されるべきだ」とB「環境がある程度悪化しても、経済成長と雇用の創出が優先されるべきだ」という二つの考え方のうち、あなたの考えに近いのはどちらですか？という質問に「A（環境保護が優先）」と答えた人の割合を見てみましょう。日本は53・2％で、56カ国中36位でした。1位はアンドラの83・8％、最下位はエチオピアの23％でした。この統計で私にとって意外だったのは、ドイツが36・6％（52位）で、経済成長優先を選択した人が多いという結果です。ドイツと言えば、30年以上前から環境保護（Umweltschutz）への取り組みが盛んで、環境保護を第一に掲げる政党（Die Grüne）ができたり、放射性廃棄物処分場に関する激しい議論が展開されたり、市民レベルではゴミの分別はもとより、ビンを色分けして回収することも行われていました。そんな環境保護先進国のイメージのあるドイツが経済成長優先の考えを持った人が多くなっているという状況です。このドイツの統計は2006年のものですから、EU諸国の経済破たん問題が深刻になっている現在では、さらに経済優先の方にシフトしているのではないかと思います。もう一つ気になったのは、中国で「環境保護が経済成長よりも優先」と答えた人が64・4％（12位）と日本よりも多かった点です。これは国民の率直な考えなのか、

『環境保護優先と答えなければならない』と考えた人が多かったのか、疑問が残りますね。

日頃マスコミで報道されていることを鵜呑みにすると、間違った先入観を植え付けられることがあります。客観的な統計を知ることも真実を捉えるためには重要なことであると思います。

ローカルルール

赤信号のときに信号が青信号に変わるまでじっと待つのは、日本人以外の国では見られない特異な現象と言われています。「赤信号でも車が走っていなければ横断歩道を渡る」というのは世界の常識で、その分外国の人々は日本人に比べると注意力が高いと感じます。信号に従い過ぎると、左右をよく見ずに青信号で渡ってしまい、事故に遭うことがあります。特に新興国では、交通ルールを守らない車が多いので注意が必要です。また、国や町によって独特の習慣があることも認識する必要があります。以前、ナポリへ行ったときに、信号がなかったからか、信号無視の車が多かったからか、忘れましたが、どうやって幅の広い道を横断するのか困ったことがありました。平気で横断している地元の人々を観察していると、ゆっくりと同じ速度で横断していると車の方でよけていることがわかりましたので、決意して地元の人をまねて渡ってみると、なんとかうまくいきました。

東日本大震災では、停電によって遮断機が下りたままの踏切で平時のように停車し、高台へ逃げ遅れて津波にのまれた自動車があったといいます。このようにルールを守らなければならないとする規範意識が強いことが日本人の特徴です。ただし、そこにはそのルール自体にほとんど疑念を抱かずに「それが正しい原則である」かのように信じてしまう危険性が潜んでいます。電車の踏切では、電車と自動車の衝突を絶対避けなければなりません。遮断機は、電車が来ることを知らせる警報にしか過ぎませんから、電車が来ないことが確実ならば、遮断機に従う必要はありません。同様に、車が来ないことが確実ならば、赤信号に従う必要はないわけです。日本では、踏切で一旦停止をしますが、ドイツでは遮断機が下りていない（警報が鳴っていない）踏切は、車は停止せずに普通の速度で通過します。逆に、警報の鳴っていない踏切で停止したりすると、後ろの車が追突してくる危険もあるし、間違いなく後ろの車はクラクションを鳴らしてきます。また、ドイツの車は運転中にはドアをロックしないのがルールです。ドライバーにトラブルがあった際に、外からドアを開けやすくするためだそうです。海外で車を運転する時には、このようなローカルルールを知っておくことも必要です。

公共交通機関で携帯電話を使わないようにするというマナーは、日本にしかありません。そもそも携帯電話はいつでもどこでも使えるのが目的なので、諸外国では、使い方を規制しようという考え方がありません。電車内で会話の内容を他人に聞かれるのが嫌なら携帯電話を使わないだろうし、あるいは小声で話すことになるというように、外国では自主的な判断に任せて携帯電話が使われているのです。日本で携帯電話の規制が始まった当初は、その理由として、心臓にペースメーカーを埋めている人に悪影響を及ぼすことが挙げられていました。ただ、

2005年に総務省は、「携帯電話が心臓ペースメーカーに影響を及ぼすことは殆どなく、ごく一部のペースメーカーにおいて、最大8センチという至近距離で影響を受けた。さらに、最近の携帯電話ほど、その影響も少なくなっている」という主旨の発表をしています。これが8年前ですから、「携帯電話は心臓ペースメーカーには影響しない」というのが現状です。最近、日本の多くの病院でも、集中治療室以外での携帯電話を解禁する動きが広がっています。

「電車内で携帯電話を使わない」ということが「電車内では話をしない（言葉を発しない）」というような風潮になっていっていないかと危惧します。朝夕の混んだ電車で降りる時に、声をかけずに、ただ戸口の人を押しのけて出ようとする人を見かけることがあります。以前、朝の新幹線の中で、旅行先に向かおうとしている家族がいて、その子ども達は嬉しくてハイテンションだったところへ、眠ろうとしていた若いサラリーマンが「静かにしてもらえませんか?」とクレームした場面を見ました。私の感覚では、「電車には旅行客がいて、盛り上がるのは当然だから、そばにそのような乗客がいれば、受け入れるのも当然だ」と思いますが、皆さんはどう思いますか?

チップの習慣

一昔前は、海外旅行中のホテルで枕銭を置くことを実行していた人の話を聞いたことがありますが、今でも海外旅行でチップのことを気にしている人も少なからずいるようです。チップについて言うと、50年前まではアメリカ以外の国ではチップという習慣はなく、現在でもアジアやヨーロッパではチップは不要というのが正解のようです。皆さんは、海外旅行するときにチップをどうしていますか？

海外旅行のガイドブックに書かれているチップの目安などには明確な根拠はありません。その根拠となっている情報は、日本航空の乗務員からもたらされたものが多いようです。海外への渡航が自由になり始めた１９５０年代から60年代は、有効なガイドブックも少なく、外国のことを知るには日本航空の乗務員に聞くのが一番と思われていました。一年のうち何十回と海外へ渡航し、現地の事情に詳しかったからです。しかし、チップに関する情報だけは正確ではありませんでした。日本航空の海外路線はアメリカ西海岸やハワイから始まり、そこでチップの習慣を知り、現地ではどこでも10％くらいのチップを置いたり払ったりするようになりました。その後、路線はアジア、ヨーロッパへと広がっていくことになりますが、乗務員はどの国でもアメリカ同様の方式でポーターへのチップから、ベッドチップなど、同じようにする習慣になってしまったのです。これは、乗務員が訓練生として乗務する時から先輩たちに厳しく叩き込まれた結果、海外での生活習慣の常識とされてきたのです。このような間違った情報がガイドブックの出版社社員やツアーガイドへと伝わり、現在に至っているというのが実情です。

アメリカ人旅行者はもともとチップの習慣があるので、どの国へ行ってもチップを払うことは想像できますが、アジアやヨーロッパを旅行する日本人が、この間違った情報に基づいてきていないように思います。アメリカでは、チップの習慣がなかった国々でもチップの習慣が根付いてきているように思います。アメリカでは、チップはウエイター達の賃金の一部となっています。以前サンフランシスコのレストランで勘定をお願いした時のこと、勘定書を持ってきたウエイターが「この金額にはチップは含まれていませんので、宜しく」としっかり言ったのを聞いて、この国ではチップが必要なのだと実感しました。チップについては、日本人の言うことを真に受けるのではなく、その国の人に習慣や相場を聞くのが一番です。アジアでも台湾では一切チップは要りませんが、ベトナムやインドネシアでは多少チップをあげないといけない場面があります。ドイツでは、タクシーやレストランではチップを払います。ただし、請求額を多少切り上げて切りの良い数字にまるめる程度です。

私はイタリアレストランでは、よほどサービスや料理が素晴らしくない限りはチップを払いません。それで文句を言われたことはありません。逆に、イタリアレストランでは、料金を誤魔化すことが多いので、自分の頼んだ飲み物や料理の値段を書きとめています。また、イタリアの空港などの銀行で両替すると、札の数が1枚足りないということがよく起こります。そこで、イタリアの銀行で両替する場合は、受け取った紙幣を窓口の担当者の前で一枚一枚数えるようにしています。今まで、多くの日本人観光客が簡単にこのような小さな詐欺にひっかかっているので、「日本人なら騙せる」ということがイタリア人の中で浸透しているのではないかと思います。我々一人ひとりが、金額をメモしたり、目の前で札を数えたりすることを習慣にすれば、日本人が騙される数も減っていくのだろうと思います。

ＴＰＰ協定

ＷＴＯのＴＢＴ協定が１９９６年に発効し、国内で設計基準などの技術規格を制定する際には、①仕様ではなくて性能を規定すること（性能規定化）、②国際標準がある場合は、その国際標準に整合するように制定すること（国際標準への整合化）が要求されています。構造設計基準の国際標準であるＩＳＯ２３９４が「限界状態の安全性水準を定量的に定めること」を要求しており、安全性を定量的に評価できる設計法は信頼性設計法であることから、国内で構造設計基準を制定あるいは改訂する場合は、信頼性設計法に基づかなければならないという状況になっています。このことは、設計技術講座で話しているので、皆さん理解してくれていると思います。「道路橋示方書」などの設計基準類は、今後、信頼性設計法に基づいて改訂されることになります。

ＴＰＰ（Trans-Pacific Partnership Agreement）の議論のなかでは、とかく農作物の話が多く取り上げられるのですが、ＴＰＰが対象としている内容は広範囲に及んでいて、その中には技術規格に関することも含まれています。技術規格に関するＴＰＰ協定の内容を見てみると、文章がＴＢＴ協定と同じであることがわかります。すなわち、技術規格制定に当たっては、性能規定化と国際標準への整合化が要求されているということです。このことは、ＴＰＰにおいてどのような展開になっていくのでしょうか。

「国際標準」としてはＩＳＯが整備され続けていることは皆さんご存じだと思います。このＩＳＯですが、ほとんどがユーロ主導で進められています。ユーロでは、ユーロ圏の標準となるEurocodesが整備されています。ヨーロッパ（国際的）にはウィーン協定という約束事があって、「ＩＳＯと同じ項目に関してEurocodesがあれば、そのEurocodesをＩＳＯとして良い」ということになっているので、結局EurocodesがＩＳＯとして制定されてしまう仕組みになっています。すなわち、ユーロの標準が国際標準になっていくような状況になっていて、そこでは、アメリカや日本の影響力はすごく小さいというのが現状だと思います。自国の技術規格を国際標準にできれば、そのアドバンテージは大きく、逆に海外の規格に従わなければならなくなると、従来のやり方を変えたり、過去のデータが使えなくなったりなどの不利益を被ることになります。たとえば、薬剤開発のために行われるねずみを使った実験のデータですが、日本では長年マウスを使った実験が行われてきましたが、ＩＳＯでラットを使った実験が国際標準になってしまうと、日本で蓄積してきたマウスの実験データが使えなくなるということも起こるのです。

技術規格がヨーロッパ主導で進んでいることに、アメリカは危機感を持っているはずです。ＴＢＴ協定においては、国際標準はＩＳＯ、すなわちEurocodesというケースが多かったわけですが、同じ文言を使っているＴＰＰ協定における「国際標準」とは何を指すことになるのでしょうか？　私は、アメリカなら、この環太平洋地域の国際標準としてアメリカの規格を持ってくるようにしたいだろうと思います。このような状況下において、我が国はどのような対応をすべきなのかを、まさに今、真剣に議論して、戦略を決める必要があるのです。

ライプチヒとドレスデン

盆休みに、私はドイツのライプチヒ周辺へ行ってきました。ドイツに行くのは3年ぶりで、娘がライプチヒの大学に通っているので、その様子を見るのを兼ねて訪ねたものです。天候にも恵まれ、最高気温も24℃程度と快適な気候でした。

ライプチヒはザクセン州の街で、人口52万人程、州都のドレスデンより若干人口が多く、旧東ドイツの街ではベルリンに次ぐ人口です。バッハやメンデルスゾーンらゆかりのドイツを代表する音楽の街として有名ですし、最近では、ベルリンの壁崩壊、ひいては東西両ドイツの再統一の端緒となった住民運動の発祥地としても知られています。また、世界有数の見本市の街ですし、15世紀からの歴史がある印刷や新聞、製本の伝統があり、毎年3月に開催される世界最大のブックフェアでも有名です。ライプチヒ大学ではゲーテやニーチェが学んでいますが、現在のメルケル首相もライプチヒ大学の卒業生です。日本人では森鷗外や朝永振一郎がライプチヒ大学で学び、ライプチヒ音楽院では滝廉太郎が学んでいます。歴史上の有名な事件としてはライプチヒの戦いがあり、この敗戦を契機にナポレオンは没落していくことになりますが、今年（２０１３年）の10月がそのちょうど２００周年にあたります。

ドイツの街を見ていつも思うことは、第二次世界大戦で破壊された街をできるだけ元通りの姿に復元しようとする強い意志です。ですから、日本の街と違って、ドイツの街は何年かぶりに訪問しても旧市街の佇まいはほとんど変わりません。今回ドレスデンへも行きましたが、この街は1945年2月13〜14日に東京大空襲と同じような大空襲を受けて、街の85%が破壊されたと言います。ドレスデンには目立った軍施設もなく、かつてのザクセン選帝侯の宮廷都市であり、バロック様式の美しい街並みと数多くの文化財が知られており、無防備都市を宣言していて高射砲などの防空施設も皆無でした。そのため人々は、ドイツの中でもドレスデンだけは空襲に遭うことはないと信じていましたが、そんな中での米軍と英軍による民間居住区に対する無差別爆撃でした。私の恩師のRackwitz教授は1941年ドレスデン生まれで、そのドレスデン空襲の時に家の天井が落ちてきたのを覚えていると言っておられました。

ミュンヘンも第二次世界大戦中は66回の空襲を受けてドレスデン同様に街が壊滅的に破壊されましたが、私が初めて訪れた1986年には街中で大戦の瓦礫を見かけることはありませんでした。それは、1972年のミュンヘンオリンピックの開催前に、瓦礫を全てオリンピック公園の丘に埋めてしまったからだと聞きました。これに対して旧東ドイツのドレスデンでは、破壊された旧市街は30年以上もの間放置されたところも多く、街の再建の端緒となった聖十字架教会が元の姿を現したのが1982年とだいぶ遅くなってからでした。ライプチヒ周辺の街々では、人気のない廃墟となった建物をいくつも目にしました。東西ドイツが再統一されて今年の10月で23年もの歳月が流れている中で、まだまだ東西の格差が残っていることを感じました。

ドレスデンの街は一晩で破壊されましたが、街のシンボルである聖母教会を再建するには1994年から2005年まで11年もの歳月がかかりました。長い年月をかけて築きあげられた伝統や文化を破壊するのは一瞬であり、それをまた復旧するためには強い意志と膨大な労力が必要であることを改めて感じた旅になりました。

Substantial Completion

建設プロジェクトにおいて、最も重要な区切りは、発注者がその工事の完成を認めたときでしょう。工事完成が成立すると、工事契約で規定されていた請負者の損害賠償責任が終了します。それに代わって、工事に係る損失や損害に対しては、発注者が責任を負うことが始まります。また、請負者に対して行われていた保留金が返還されますが、その代わりに請負者の瑕疵担保責任期間が開始することになります。工事の完成は、このように様々な事項に影響を与えるため、どの時点で工事が完成したのかという点を巡り、発注者と請負者の間に緊張が生ずることもよくあり、中には訴訟に発展するケースもあります。

私たちが建設している構造物は、工場生産の製品とは違って、「完璧」な状態で完成することはありえないので、「完成」という用語を正確に定義することは非常に難しくなります。そこで、「完成」に到達するためには何が行われるべきかについて、なるべく多くの基準を契約書に盛り込むことが重要になります。

ＪＣＴ（Joint Contracts Tribunal）が作成している建設工事用の契約約款の中に、「事実上の完成（practical completion）」という用語があります。イングランドの裁判所は、この「事実上の完成」という用語が何を意味するかについて、いくつかの基準を提示しています。端的に言えば、「事実上の完成」は、次のような事項が満たされたときに成立したとみなされます。

- 工事に使用した資材や施工技術に明白な欠陥がないこと
- 未完了工事が、非常に軽微な「最低限」の項目に限られること
- 実施されるべき全ての建設工事が完了していること

ＩＣＣ（International Chamber of Commerce：国際商業会議所）の作成した約款では、請負者は工事が「実質的に完成し（substantially completed）」、かつ「契約に定められた全ての最終検査に合格した」ときに、「実質的な完成証明書（Certificate of Substantial Completion）」の申請を行うことができると規定されています。また、ＮＥＣ３（New Engineering Contract, Engineering and Construction, Ver.3）約款は、「完成（Completion）」を、「工事明細書において請負者が完成期日までに実施しなければならない旨記載された工事を請負者が全て実施し、かつ、発注者による目的物の使用を妨げるであろうとの通知がなされた欠陥を修復したとされる日で、その旨

プロジェクト・マネージャーが決定する日」であると定義し、ＪＣＴやＩＣＣの約款よりはさらに踏み込んだ文言を用いています。

右記のように、工事の完成については標準的な約款に規定はあるものの、定義に不確実性があるので、工事完成の成立について確実性を確保するためには、そのプロジェクトの契約書において、工事を完成するために必要な作業、検査の合格基準、提出物などについての詳細が明確に記載されなければなりません。それ以外にも、完成を証明するための明確な手続きが契約書に規定されていること、完成を証明する責任者と定期的に打ち合わせをしておくことなどが、工事完成の成立を巡る紛争を避けるために重要な事項となります。

ドンギスノロＬＮＧ基地建設

13〜17日にかけて、インドネシアに出張してきました。主目的は、ドンギスノロのＬＮＧタンクの視察です。現場は、ジャカルタから飛行機で、スラウェシ島のマカッサルで乗り換えてルークという町へ行き、そこから車で1時間程のところにあります。現場から30㎞程離れたところに天然ガス田があり、そこからパイプラインで液化基地へ輸送して、ＬＮＧとして日本や韓国へ輸出するというプロジェクトです。その液化基地を現在建設中で、その中にタンク工事があります。ＬＮＧタンクの工期は39カ月で、来年6月に竣工となります。あと7カ月ありますが、残っている土木工事は、2カ所の開口部の閉塞とその後のPC緊張、タンク側壁の塗装のみとなっています。このタンクの容量は、公称17万KLですが、日本のタンク容量で言うと18・5万KLとなり、日本国内で完成している最大のLNG地上タンク（18万KL）よりも少し大きなタンクとなります。

現場では当初、コンクリートの品質の問題があり、さらには、コンクリートの供給能力が時間50㎥という制約条件の中で施工計画を立てる必要がありました。また、PCタンクで最重要であるPCに関わる課題もいくつかありました。現場のK工事長は、「コンクリートのNさん、PCのHさん、国内のPCタンク経験者の皆さんには本当にお世話になりました」としみじみと語っていました。通常の土木工事なら、海外の仕事では、問題が予見されたり発生したりすると、ローカルのコンサルや大学の先生などを頼るのですが、ドンギスノロのLNGタンクでは、日本の専門家の技術力を活かすことができました。

現場では、配管類や設備を設置する工事が最盛期で、約2000人の作業員が働いているそうです。ただ、手足を動かしている人は20％もいない印象を受けました。タンク土木では、3m×5mの開口部の閉塞工事が始まったばかりですが、そのような小規模な工事でも朝礼では50名程の関係者が集まるそうです。先日見せていただいた北海道ガスの石狩基地№2タンクでは、防液堤の工事をタンク全周で行っていましたが、「作業員が21名しかいない」と、作業員不足で困っているようでした。国や地域が違うと、建設業を取り巻く環境も様々ですから、その地の環境、習慣、考え方などを十分理解して施工計画を立てる必要があります。

ドンギスノロのMain Contractorの日揮は、"Shake Hands Campaign" "Call Name Campaign" などを行い、作業員のモチベーションアップに努めています。ある表彰では、最優秀者に20万円の賞金を出したりもするそうです。現地の人にとっては半年の収入くらいの金額です。約2000億円のプロジェクトですが、日揮はこのような施策に3億円を使っているとのことです。日揮のキャンプの中には、バドミントンコート、テニスコート、バレーボールコート、バスケットボールコートなどのレクリエーション施設が豊富に整備されています。当社の現場宿舎にも、談話室があり、お酒を飲んだり、カラオケしたりできる部屋があります。また、3人がゆったり入れるくらいの広さの浴槽を持った浴室も整備されています。食堂の食事は、なかなか美味しいですし、食堂には伊勢エビや魚を入れておく大きな水槽があり、いつでも新鮮な魚を食べることができます。そして、この現場宿舎で最も有名になったのは、海に突き出たデッキです。社報と『日経コンストラクション』でも紹介されたので、ご存じの方も多いと思います。私も太平洋に突き出たデッキで、新鮮な海の幸をいただき、自然に溶け込むような良い気分を満喫させてもらいました。

ドイツビール（その2）

気温もだんだん上がってきて、ビールが美味しい季節になってきました。日本のビールも美味しくなりましたが、ビールと言えば、なんといってもドイツですね。そこで、今日はドイツビールの種類、テイスティング、品質確保について紹介します。

バイエルン州で最もポピュラーなのがヘレス（Helles）です。hellとはドイツ語で「透き通った」という意味で、正しくはhelles Bierと言います。ビールは中性名詞なので、hellの語尾にesが付いてhelles Bierです。でもミュンヘンではレストランで飲み物を注文する時helles Bierとは言わず“Ein Helles bitte!”と言ってBierを省略します。その理由は、飲み物と言えばビールが当たり前だし、中性名詞の飲み物は他に水くらいしかなく、名詞を省略してもわかるからだと思います。しかし、以前ドイツの北の方の町のレストランで“Ein Helles bitte!”と言ったら“Ein helles Bier?”と確認されたことがありました。Bierを省略して言う習慣があるのはバイエルン州だけかもしれません。ヘレスとともに下面発酵ビールで人気があるのが、ピルスナーモルトと上質のアロマホップで醸造したピルスです。日本のサントリープレミアムなどはこの種類です。アロマホップにビターホップを加えて、アルコール度数を高めたエクスポートというビールも人気があります。さらに麦芽の種類を変えたメルツェンがあり、５００年ほど前に醸造可能な最後の月である3月（メルツ）にアルコール度数が高く保存のきくビールを造り始めたのが、その名の由来です。麦芽を乾燥する技術が発達する前は、麦芽を明るい色で煎るのが難しかったためビールは濃い色でした。その当時の製法で作られるビールをドゥンクレス（Dunkles）と呼び、Hellesと区別しています。通常よりも多くの麦芽を使用しアルコール度数を高めたのがボックビアで４００年前から製造されています。小麦麦芽を50％以上使用し、上面発酵で醸造されたヴァイスビアは最近日本でも飲めるようになっています。また、地方ごとに特徴あるビールがあり、その代表例はデュッセルドルフのアルトとケルンのケルッシュです。以上代表的なドイツビールの種類を紹介しましたが、これらのビールを飲む時には、それぞれ決まった形のグラスで飲まなければなりません。ドイツ人を家に招待する場合は、少なくともヘレスとピルスとヴァイスビア用の3種類のビアグラスを準備しておく必要がありま す。

ビールのテイスティングの判断基準には、色・輝き・泡・匂い・味わい・刺激・コク・苦味・全体の印象といった9種類の要素があります。それぞれの要素には尺度がありますが、その尺度はビールの種類によって違います。皆さんもドイツビールを飲む時は、これらの要素があることを思い出して楽しんでみたらいかがでしょうか？

ビールの品質検査についても古い歴史があります。15世紀のバイエルンでは、1ジョッキのビールをかけたベンチに、革ズボンをはいた検査官達が2時間座り、掛け声とともに一斉に立ち上がり、ベンチがズボンに張り付いて一緒に持ち上がれば、十分に麦芽を使用したビールということで合格になったそうです。そんな中、1516年4月23日にミュンヘンでビール純粋令が発布されました。「ビールの原料はホップ、モルト、水に限る」という法律で、世界最古の食品条例と言われています。今日ではドイツ全土に有効な法律となっています。「モルツはビールの力、ホップはビールの魂、水はビールのボディー、酵母はビールの精霊」という言葉からもビールを大切にする思いが伝わってきます。2年後の4月23日はビール純粋令発布

500周年ですから、ミュンヘンの街は「春の祭り」の会場で盛大なビール祭りとなるでしょう。

国際プロジェクトにおけるクレーム

国際プロジェクトの遂行にあたって常に注意を払う必要があるのは、発注者の指示により引き起こされる工期遅延と追加費用に対するクレームです。今日は、ジブラルタルで行われた大型インフラ工事に関して、今年4月16日に英国技術建築裁判所が*FIDIC Yellow Book*の1999年版に基づいて下した判決について紹介します。

本件で請負者は、予見不可能な地盤条件に遭遇したため、契約条件となっているFIDIC第4.12条に従い工期の延長と追加費用を請求できると主張しました。当該地点の土壌は汚染されており、入札書類には、環境報告書、地盤調査報告書、土壌汚染に関する机上報告書が含まれていました。ここで争点となったのは、請負者が応札時に、当該地点に大量の汚染物質が存在することを予期できたか否かということでした。

第4.12条によれば、入札に当たって、請負者は経験に基づいて合理的に予見し得た地盤条件を検討しなければなりません。また、第4.10条によれば、入札書類に含まれている資料を解釈する責任は、請負者が負うことになっています。裁判所は、提供された資料の内容を検討した結果、請負者が、汚染物質の存在を考慮に入れるよう伝えられていたものの、これを現実のリスクとして捉えなかったと結論付けました。そして、汚染物質が存在する理由と、当該地点において実施された契約前の調査で判明した以上の量の汚染物質に遭遇する可能性について、「一定の技術的評価および分析」を行うべきであったと指摘しました。とりわけ、請負者は、当該地点が以前にどのような用途で使用されていたのかを突き止めることに注意を払うべきでした。これをしていれば、実際に発見された大量の汚染物質の存在を予見できていたであろうし、さらに、そのような汚染物質の処理に必要な適切な費用を入札価格に織り込んでいたでしょう。裁判所は、請負者がこれらの措置を怠ったと判断し、第4.12条に基づく請負者の請求を却下したのでした。

裁判所は、請負者が、第20.1条に従い、適切なタイミングで工期延長の請求を行ったかについても検討しました。該当する同条項の箇所は、ＥＰＣや*Silver Book*をはじめとするいくつかのFIDIC契約約款に盛り込まれています。第20.1条は、次のように定められています。「請負者が本条件書の条項に照らして若しくは契約に関連して、完成期限の延長等の期限を有している場合、請負者は、エンジニアに、クレームの原因となる事態または状況を記述し、これを通知しなければならない。通知は実行できる限り速やかに、請負者が事態または状況を認知した、若しくは認知し得た時点から28日以内に行うものとする。請負者が、かかる28日の期間内にクレームの通知を行わない場合、完成期限の延長はなされず、請負者は追加の支払いを受ける権利を有さず、かつ発注者はクレームに関連する一切の責任から免除されるものとする。」

第8.4条では、予見不可能な物理的条件を含む特定の事由により工事の完成が遅れた場合に、請負者は工期を延長する権利を有すると定められています。この権利を使うためには、第20.1条に定められている28日の期限を満足することが前提条件となります。結果的には工期遅延の原因になった事象が、その発生時には工期遅延をもたらすとは認識できなかったというケースもありますので、注意が必要です。第20.1条で定める工期延長では、特定の書式は指定されておらず、通知は書面により行い、その根拠として依拠する事態または状況を説明し、工期延長を請求するとの通知をすべきである旨のみが規定されています。また、工期延長の通知が遅すぎたことを立証する責任は、発注者側にあります。

13

雑学

アルプス遭難事件

「アルプス遭難事件」という有名な実話があります。皆さんもどこかで耳にしたことがある話だと思いますが、最近ちゃんとした文章を発見しましたので、ご紹介します。

『事件はハンガリー軍がスイスで軍事機動演習をしていたときに起こった。ハンガリー軍の偵察隊が屯営を出発して間もなく、彼らの眼前に広がるアルプスの原野に雪が降り始めた。やがて、彼らは白銀に染まったアルプスの山中で道を見失った。降雪は銀幕を降ろしたごとく眼前を覆い、遠望かなわず目標物の把握は困難をきわめた。足跡は新雪にかき消され、自らの位置をつかめずしばしば進退窮まった。凍てつく中での停滞は体力を奪い、容赦なく人を絶望の淵に追い込んだ。彼らはしばしの彷徨の後、死を覚悟した。しかし、ある隊員が偶然にも地図を所持していた。この幸運が、彼らを絶望の淵からよみがえらせた。希望を得た彼らは、この地図を頼りに勇躍行軍を開始し、やがて無事に帰営することができた。偵察隊帰営後、部下たちの帰りを待ち続けていた彼らの上官は、この命の恩人ともいうべき地図をじっくりと眺めて、呆然となった。地図はなんとアルプスの地図ではなくピレネーの地図だったのである。』

この話は、「状況があいまいだからといって意思決定を躊躇してはならない」ことを説くエピソードとして紹介されています。この話から得られる教訓は、第一に、「組織にとって決定的に重要なのは〝行動〟である」ということだそうです。そして、第二に、「行動によって新たな状況認識が形成されれば、それがさらなる行動を引き出すきっかけになる」ということを示唆していると言います。さらに、第三としては、「人が確信を持って行動を繰り返すとき、それはしばしば現実を生み出しうる」となり、最後には、「正確さよりももっともらしさが重要である」点が指摘されています。

さて、自分の身の回りを見渡してみると、「正確な情報」を求められることはよくありますが、「正確な情報がないこと」を理由に意思決定を遅らせたり、行動しない言い訳にしたりすることもあります。それが良い判断であるか、悪い判断であるかは、ケースバイケース（この言葉も言い訳には便利な言葉ですが）ですが、自分自身がリーダーシップをとる場合においては、正確な情報にもまして、自分の直感を頼りにメンバーを行動させることが必要な局面もあると思います。前記のエピソードで、「迷った隊のリーダーが、その地図はおかしいと知りながら、部下を率いていた」とすれば、また得られる教訓が膨らみますね。

パーティジョーク

ゴールデンウィークはいかがお過ごしでしょうか？　ゴールデンウィークの間の週というこ

ともあり、今回は柔らかいジョークの話です。海外で仕事をすることが増えてくると、パーティーに参加する機会も増加します。欧米人の集まりでは、座が和んでくると誰からともなく、ジョークが出てくることがよくあります。皆さんも、そんな場面で多少なりとも存在感を示すために、ジョークの一つや二つを語れるようになっておくことをお勧めします。私も以前は、その種のパーティーに何度となく参加し、色々なジョークを仕入れて、自分でも多少はジョークを話せるようになっていました。その当時（20年ほど前）、私が気に入っていたジョークは「ペレストロイカのジョーク」で、ミシガン大学のノバック教授のオリジナルを頂戴したものでしたが、今では時代にそぐわなくなってしまい、使うチャンスを失っています。アメリカ人は、パーティーのスピーチでも自分が作ったジョークを紹介することがあり、オリジナリティを競っている感じがします。

一方、ヨーロッパでは、国の違いを皮肉っぽく取り上げるジョークが多い感じです。特に隣の国とは大体仲が悪いので、隣国を皮肉ったジョークは山のようにあります。ベルギー人はオランダ人を「融通の利かない国民性」ととらえて馬鹿にします。これに対して、オランダ人は「世界には最も薄い本が2冊ある。1冊はドイツのジョーク集で、もう1冊はベルギーの歴史の本だ」と言って、ベルギーが歴史上あまり登場しないことを馬鹿にしています。私のデンマーク人の友人が博士号の口答試験が終わった後に担当教授に次のように言われ、しょんぼりしていました。

『私は世界で一番退屈な本を2冊知っている。1冊は電話帳で、もう1冊は君の博士論文だ』

ドイツ人が作るジョークは凝り過ぎる傾向があります。次に紹介するジョークは、聞いているドイツ人でもすぐには笑えなかったジョークです。

『ドイツとの国境に近いオーストリアの町の銀行でのこと。一人の男がその銀行に入ってきて、窓口の前で、「金を出せ！　さもないと、頭を撃つぞ！」と言って、拳銃を自分の頭に突きつけた。これを見た窓口の銀行員は、次のように尋ねた。「オーストリアシリングにしますか？それともドイツマルクにしますか？」』

このジョークは、ドイツ人がオーストリア人を馬鹿にしたジョークなのですが、わかりますか？　解説しますと、窓口の銀行員は「拳銃で自分の頭を撃つような馬鹿な奴はドイツ人だ」と考えたので、気を利かせて「ドイツマルクにしますか？」と尋ねた、しかし、そもそも自分の頭を撃とうとする馬鹿に対応しようとするオーストリア人は間抜けなのだ、ということのようで、「オーストリア人はドイツ人を馬鹿にするが、本当に間抜けなのはオーストリア人の方だ」というジョークだそうです。このジョークも通貨がユーロに統一された今では使えませんね。

各国の特徴を皮肉ったジョークの例として、これも20年ほど前に私がドイツのバラエティ番組で見た内容を紹介しましょう。舞台中央に紙幣が1枚落ちています。最初に、イギリス人がシルクハットとステッキを持って登場します。紙幣に気づき、拾いたいのですが、周りを見渡して、人目を感じたのか紙幣をそのままにして、渋々立ち去りました。次に登場したのはイタリア人。周りを見渡して、さっと紙幣を拾うと、走って逃げていきました。３番目はフランス人です。紙幣を見つけると、派手なジェスチュアで拾い上げ、紙幣にキスをして、スキップをしながら去って行きました。最後は、眼鏡をかけて、カメラを首にぶら下げた日本人が登場してきました。彼は、紙幣を見つけると、紙幣の写真を撮って立ち去りました。

ジョークを面白くするのは、語り口のうまさだと思います。その点、アメリカ人はうまいですね。「パンナムのジョーク」や「著名な大学教授のジョーク」など、今度機会があれば、飲み会ででも紹介いたしましょう。

大地震発生

6月14日朝8時43分に岩手・宮城地方に震度6強の大地震が起こりました。想像を絶するような大規模な地盤崩落が発生し、土砂ダムも形成されているということで、2次災害や今後の復旧までの長期化が心配されるところです。

今回の「岩手・宮城内陸地震」が発生して、「それにしても最近の大きな地震は休みの日に多いな」と感じました。多くの被害者が出ているときに不謹慎かもしれませんが、確率・統計のプロフェッショナルを自認する私としては、この事象が確率的にどの程度なのかをつきとめたい衝動にかられ、ちょっと調べてみました。

まず、ここ10年間に発生した震度6以上の大地震を調べたところ、岩手・宮城内陸地震を含めて、次の11地震がありました。括弧内に、発生した月日と曜日、そして最大震度を書いています。

■鳥取県西部地震（00年10月6日、金、6強）
■芸予地震（01年3月24日、土、6弱）
■宮城県沖の地震（03年5月26日、月、6弱）
■宮城県北部の地震（03年7月26日、土、6強）
■十勝沖地震（03年9月26日、金、6弱）
■新潟県中越地震（04年10月23日、土、7）
■福岡県西方沖地震（05年3月20日、日、6弱）
■宮城県沖地震（05年8月16日、火特休、6弱）
■能登半島地震（07年3月25日、日、6強）
■新潟県中越沖地震（07年7月16日、月祝、6強）
■岩手・宮城内陸地震（08年6月14日、土、6強）

これを見ると、最近の6地震は連続して休日に起こっていることがわかります。

2008年の休日は128日あるので、これをベースに計算すると、6回連続して休日に大地震が発生する確率は0.00186で、サイコロで4回連続して同じ目が出る確率よりも小さくなります。これは、かなり小さな確率です。信頼性設計法では、一般構造物の終局限界状態に対する許容生起確率として、だいたいこの程度の値を設定します。

「珍しいな」と思う事象が、どの程度の確率で発生するのかを計算して確かめると、ちょっと意外だったりします。一例を紹介しましょう。「私達の部の中に誕生日が同じ人がいるか、いないか。さあ、どっちに賭ける？」と問われれば、皆さんはどちらに賭けますか？　私は躊躇なく、「いる」方に賭けます。これも簡単な計算で確かめられますが、23人以上集まると、誕生日が同じ人がいる確率が50％を超えます。これを覚えておけば、何かの集まりのときに使えるかもしれませんよ。

伊能忠敬

江戸時代後期の人・伊能忠敬は、伊能家の婿養子として酒造の家業を繁栄に導き、49歳で隠居。その後、幕府天文方の高橋至時に弟子入りしました。それから猛烈に勉強して、55歳の時に「後世の参考ともなるべき地図を作りたい」との手紙を幕府に送って、東日本全体の測量を許可されました。そうして出来上がった地図ですが、そのあまりに精密な地図に息をのんだ幕府は、西日本の測量を幕府による国家事業へと昇格させ、忠敬は60歳で再び江戸を出発したのです。

仕事は過酷を極め、３年の予定が延びに延びて、10年かかって測量は終わりました。歩いた距離は４万キロ。測量を終えた３年後、忠敬は１８１８年に73歳で亡くなります。その３年後に弟子が全図を完成させました。その日本で最初となる実測地図「大日本沿海輿地全図」が江戸城大広間で広げられた時、幕府の重鎮たちはその精密さに驚嘆したといいます。生涯学習に身を投じ、生涯現役にこだわったのが忠敬だと言えるでしょう。

先日、ある大学の学長と話をしていた時、寿命の話になりました。私が、「医者から聞いたのですが、寿命が長い人に共通しているのは、①よく歩いている、②十分な睡眠をとっている、③熱中できることを持っていることだそうです」と言ったところ、73歳のその先生は、「自分は寿命が長いことは決して良いこととは思わない。しかし、現役で活動できる時間が長いことは望んでいる」という考えを述べられ、なるほどと思いました。さらに付け加えておっしゃるには、「ただし、自分はまだ現役で大丈夫だと思っていても、おかしな言動をするようになってくる。これは本人ではわからない。だから、私は身近な人たちに『私が何かおかしなことを言ったら、遠慮なく教えて欲しい』とお願いしている」とのこと。

自分の専門分野において、まわりの人々から認められ、現役で社会に貢献している時間が長く続くことは、技術者として一つの理想だと思います。

ゴルフのマナー

次の土曜日には「第66回土設コンペ」が開催されます。基本的に年に2回開催してきたので、33年は続いている歴史あるイベントです。と言うと畏まって聞こえますが、部のコンペですから気楽に参加していただきたいと思います。ゴルフを始めて日の浅い人も何人かいますので、ベテランの人はそのようなパートナーにルールやマナーを教えてあげて下さい。ルールは本でも勉強できますが、マナーは誰かに教えてもらわないとなかなか身に付きません。

ゴルフのマナーは大別すると二つに分類できると思います。一つは、他の人に迷惑をかけないこと、もう一つはできるだけ早く行動することです。「他の人に迷惑をかけない」の中でいくつか思いつくままに列挙しますと、

- 他の人がティーショットをするためにティーグラウンドに立ったら、話をしない、動かない、音を出さない。また、打つ人以外の人はティーグラウンドには立たない。
- 他の人が打った球の行方をできるだけよく見ておく。
- 他の人が打つ時は、それよりも前にはいない。やむを得ない時には木の陰に隠れる。
- 他の人が前にいたら声をかける。
- グリーン上では、他の人のパットライン上、前後の延長線上には、立たない、影を落とさ

ない、ピンなどの物を置かない。

もう一つの「できるだけ早く行動する」ですが、テレビのゴルフ中継を見るとプロゴルファーが入念にパットラインを読んだりしてゆっくりプレーをしているように見えますね。ですが、プロゴルファーは歩く距離が短く、速度も速いので、トータルのプレー時間は3時間程度です。私が学生の時に先輩から言われたことは、「先輩の前を歩け！」「自分の球の場所までは走れ！　打つ前には時間を使ってもよい」というものでした。1ラウンド2時間弱では回っていたと思います。ゴルフというよりは、10kg程度のハンデを背負ったクロスカントリーみたいでしたね。時間短縮で気をつけておくことを列挙してみましょう。

■パートナーの球の位置を確認して、打順を把握する。フェアウェイやラフでは、他の人が打っている間に素振りなどを済ませておく。

■自分の球の場所までできるだけ早く移動する。

■次のショット、さらには次の次のショット（グリーンまわりにバンカーがあればSW）を想定して、クラブを持って歩く。

■自分のパターをとる時は、他の人のパターも持っていく（セルフの場合）。

■グリーン上では、他の人がプレーしている間に自分のラインを読んでおく。

■皆がホールアウトしたら、速やかにグリーンから離れる。グリーン上でスコアカードに記入するのは厳禁。

色々書きましたが、ゴルフは楽しむことが第一です。だから、パートナーのナイスショットに対しては、心から褒めてあげることが肝要です。これが一番重要なマナーかもしれませんね。それでは、土曜日の土設コンペを楽しみにして、今週も張り切っていきましょう。

つもりちがい

ゴールデンウィークはリフレッシュできたでしょうか？

私は妻の実家のある山口へ行ったり、温泉へ行ったり、ゴルフをしたり、食事に出かけたりと色々なことができました。山口では、小学校の遠足以来44年ぶりに防府の天満宮や国分寺、毛利氏庭園へ行くことができましたし、また山口市内では菜香亭（山口の表座敷として政財界人・文化人などが訪れた元料亭）などにも行きましたが、やはり瑠璃光寺の五重塔が一番の名所だと思います。日本には国宝の五重塔が九つありますが、瑠璃光寺の五重塔は、その中でも三名塔の一つに挙げられています。法隆寺の五重塔よりも７００年以上新しいし、東寺の五重塔よりは20m以上低いのですが、檜皮葺の屋根が周りの緑の中に溶け込んでいる様子が非常に美しく感じられます。また、瑠璃光寺の五重塔は、中世の風水が残る山口では最も強い運気が感じられる場所となっています。

さて、五重塔とは全く関係ないのですが、瑠璃光寺の資料館で売っていた資料の中に、「つもりちがい十カ条」というものがあったので紹介します。全国どこでも売っているもののような気がしますが、話のネタになるかもしれません。

『つもりちがい十カ条
高いつもりで低いのが教養
低いつもりで高いのが気位
深いつもりで浅いのが知識
浅いつもりで深いのが欲望
厚いつもりで薄いのが人情
薄いつもりで厚いのが面皮
強いつもりで弱いのが根性
弱いつもりで強いのが自我
多いつもりで少いのが分別
少いつもりで多いのが無駄
そのつもりでがんばりましょう』

男の子or女の子

今日はまず次の二つの質問に答えてもらいましょう。

①2人の子どもがいて、そのうちの一人が男の子であることがわかっている。では、もう一人の子どもは男の子か女の子か、あなたはどちらに賭けますか？

②豪華賞品がもらえるゲームで、挑戦者の前には3枚のドアA、B、Cがある。商品はどれか一つのドアの向こうにあり、残り二つのドアははずれである。司会者は当たりのドアがどれか知っているが、挑戦者は当然知らない。挑戦者はドアAを選んだ。すると司会者が、残された2枚のドアのうち、ドアBを開けて、それがはずれであることを挑戦者に見せた。司会者は挑戦者に「ドアAのままでも結構ですが、ドアCに変更しても構いません」ともちかけた。さて、挑戦者はドアを変更すべきでしょうか？

①の質問。もう一人の子の性別は不明なので、男か女の確率は五分五分。したがって、どちらにかけても同じ。②の質問も、当たりはドアAかドアCのどちらかだから、確率は五分五分。したがって、こちらも、ドアを変更してもしなくても同じ。……そのように答えた方もいるでしょう。さっと考えると五分五分に思えますよね。

正解を言いましょう。

①は、もう一人の子どもが男の子の確率は3分の1、女の子の確率は3分の2なので、女の子に賭けた方がよいことになります。②の場合も同様ですが、ドアAが当たりの確率は3分の1、ドアCが当たりの確率は3分の2なので、ドアCに変更するのが正しい判断となります。

まず①について解説します。子ども二人の性別のパターンは、年齢順に（男・男）、（男・女）、（女・男）、（女・女）の4通りです。ここで、子どものうちの1人が男であるという情報があるので、（女・女）の可能性がなくなります。残り3通りを見ると、一人の男の子の他の子どもの性別が、男：女＝1：2となっているのがわかります。したがって、もう一人の子どもが男の子の確率は3分の1、女の子の確率は3分の2となります。

次に②について解説します。ドアAが当たりの確率は3分の1であり、これは変わっていません。つまり余事象である「ドアBかドアCが当たる確率」は3分の2あったわけです。ここで、司会者がドアBははずれであることを教えてくれたので、もともとドアBとドアCが持っていた3分の2という当たりの確率が、ドアBが除外され、そのままドアCのものになったわけです。

このような確率論に関することは一般の人々には全く興味のないことですが、我々土木技術者には実はちょくちょく考慮しなければならない場面があります。情報によって予測の精度を上げるためには、確率論が使われます。今回の例題は条件付き確率を用いてベイズの定理で計算することができます。ベイズの定理は、確率分布を更新して事後分布を求める場合などにも応用されています。

バーナム効果

アメリカの心理学者バートラム・フォアラーは、学生たちに心理テストを行った後、彼らの回答を分析し、それぞれの学生に性格分析を手渡しました。そして、その性格分析が自分の性格をどれほど表しているか5段階で評価するように言いました。その結果、最高5点に対して、平均4・26点の正確さで自分に当てはまると学生たちは判断したのでした。

実は、フォアラーが学生に渡した性格分析は、すべて同じもので、次のようなものでした。

『あなたは他人には評価してもらいたいが、自分に対しては手厳しい。性格にいくらか弱い面があるけれど、ほとんどの場合、それをカバーできる。力量はあるのに、思うように使えていない。見たところはしっかりしているが、実際は細かいところに悩んだり優柔不断だったりする。間違ったことをしたり言ったりしたのではないかと思って怖くなることがある。毎日の暮らしの中では決断力が少々足りなくてもいいと思うが、変化は大歓迎で、束縛や制限には耐えられない。自主的な考えの持ち主であることを誇りに思い、他人の意見に十分な根拠がないといらいらする。以前あなたは、自分を他人にすっかりさらけ出すのは得策でないと実感したことがある。概して外向的・社交的で人当たりがよいが、控え目でおとなしく、冷たい感じがするときもある。あなたの願望の中のいくつかはちょっと非現実的である。』

この文章は、フォアラーが色々な雑誌から適当に切りぬいた「星占い」を貼り合わせたものでした。

このように、誰にでも当てはまることがありそうな曖昧で一般的な性格に関する記述を、自分だけに当てはまるものとして受け止めることをバーナム効果、または前記の実験を実施した心理学者の名前をとってフォアラー効果と呼びます。各種の占いや性格診断がよく当たると感じられるのは、この効果によるものだとされています。

さらに、このバーナム効果にかかりやすい人ほど（占いを信じやすい人ほどと言えるかもしれません）、「認知の乱れ」が認められるという研究結果があるそうです。「認知の乱れ」というのは、自分に持っているイメージを、秩序立てて自分に説明するのが難しい症状で、ある種の心理的障害の明らかな兆候の一つと見られています。占いは、私たちがいったい何者であるか、将来どのような運命が待ち受けているかを明かしてくれるというより、占いを信じやすいか否かは、私たちの精神的健康について教えてくれていると考えた方がよいのかもしれません。

フォアラーの性格分析で挙げられている項目は、程度の差こそあれ、誰もが思い当たる内容を含んでいるということではないでしょうか。悩み事があったり、自分をネガティブにとらえたりしているときに、気軽にそのことを打ち明けられる人がいると、その話を聞いた人にも思い当たることがあって同感して頷いてくれることもあるでしょう。そうすれば、悩み事もかなり改善され、自分なりの打開策も見出されるのだと思います。気軽に相談できる人がいる、あるいは自分自身が人から気軽に相談を受けるといったことが結構重要なことであると、フォアラーの実験は教えてくれているように思います。

受信型文化

欧米と日本の文化を比較して、欧米は「押す文化＝発信型」で日本は「引く文化＝受信型」と言われることがあります。この文化の違いの例として、まず取り上げられるのが、ドアを開ける方向です。欧米の玄関のドアは、家の中へ押して入る方式が殆どですが、日本全国どこでも殆どの玄関は、その逆になっています。欧米では、玄関で靴を脱がない場合が多いということ、また外敵に対して家を防衛するためには扉を押して入る方がより安全であることが理由とされています。日本では、玄関で靴を脱ぐ習慣があることもあり、玄関にそれほど多くのスペースがとれないので、外へ引く方式が多いと言われています。ドア以外にも、欧米では、鉋《かんな》は押して削る、のこぎりは押して切る、掃除道具でもモップ（箒）は押すという例がありますが、日本は全て逆です。フェンシングは相手を刺しますが、日本刀では引いて切る動作が中心ですね。

このような日常生活における道具の動作方向を、文化の問題と関連付けて、欧米文化が発信型、日本文化が受信型と分類されることがあります。キリスト教では信仰を広めるために宣教師が世界各地で布教活動をしましたし、ヨーロッパ諸国による植民地の獲得、海外貿易、帝国主義戦争など発信型の行動は歴史が記憶しているところです。一方の日本では、大陸から適度に離れ、かつ交流も可能な島国であるという地理的な条件があって、大陸の先進的な文化を受容しつつ、島国の中で独特の文化を育んできたという歴史があります。

二十数年前ですが、当時日本建築学会会長だった芦原義信先生が「欧州文化と日本文化の違い」について建築物の景観の観点から比較された講演を聴講したことがあります。左側に日本の建物や庭園の写真、右側に欧州の写真を配置した何枚ものスライドを使って、ヨーロッパと日本の文化の差異について説明されました。芦原先生の結論も、ヨーロッパの文化は発信型で日本の文化は受信型であるというものでした。たとえば、ヨーロッパの建物は、その建物を見る人にアピールするために、装飾が施されていたり、家のベランダが花で飾ってあったりします。つまり、建物の方から外部に対して発信しているわけです。これに対して、日本の伝統的な家屋では、障子を開けると庭の草花や木々、あるいは遠景の森や山々などの風景が飛び込んできて、それらの借景と室内の生け花などとを融合させた空間を作っています。したがって、有名な歴史的な寺社や家屋では、外から見る建物の景観はさほど良くはなくても、建物の中から外を見る景色が素晴らしいものが殆どですね。室内にいる生活者の視点に立って、外部からの景色をうまく受信して素晴らしい景観を作っていると言えます。

このような伝統的な受信型の日本文化はかなり崩れてきているのが現状だと思います。土木工学も含めて学問の分野でも、一昔前までは、欧米の情報を一早く入手（受信）して、それを国内に紹介したり、利用したりすることが評価されていたと思います。しかし、世界中の情報が誰でも簡単に入手できる世の中になってきて、このような受信型の技術発信の価値はなくなり、オリジナルの技術や知見を発信型で提供することでしか評価されない時代になってきたと感じます。その一方で、伝統的な日本文化がだんだん無くなってくることは残念ですね。そのうちに、日本の玄関のドアも押し入る方向が増えていくのでしょうか。

商売の厄落とし

アラブ世界には、人並み外れた贅沢な生活をする石油成金がいますし、欧米の先進国にも、何代も続く富豪が見られます。そのような人々に比べれば、日本の皇室の生活はつつましいものです。アメリカの金持ちは鉄道会社に自分の専用列車を作らせていますが、天皇はＪＲが所有する列車を必要に応じてお召列車として借り上げるだけです。日本にはフランスのブルボン朝の最盛期に作られた贅沢なヴェルサイユ宮殿や、ロシアのエカテリーナ二世が遺したエルミタージュ美術館の豪華な所蔵品に匹敵するものはありません。こういったことは、明治以前の日本で度を過ぎた金儲けや贅沢は卑しいことだとされていたことに起因するようです。

それが、ペリーの来航をきっかけに、欧米流の拝金主義が次第に日本に広がり、その結果、大儲けしたいと考える人々には、金運をもたらすとされる鎌倉の銭洗弁天社などがもてはやされるようになりました。現在では、銭洗弁天社の洞窟の湧水でお金を洗えば、それが何倍にも増えると言われていて、弁天社の備え付けのざるに札束を入れて水をかける人が多く見られます。しかし、実際は銭を洗う神事は、自分が金儲けのために知らず知らずのうちに犯した罪を清め、きれいな気持ちで商売にあたるための「厄落とし」の一つなのだそうです。

神道では、「厄落としをしてきれいな気持ちで仕事に励めば、金運をつかめる」と説きます。金儲けに夢中になっている人は、周りの人々の気持ちが見えなくなり、恨みをかいながら自分の手元に金を集めてしまいます。こうなると、誰も商売に協力してくれなくなり、仕事が行き詰まることは目に見えています。したがって、世の中全体が良くなることを願って、取引相手、同業者といった周りの人の気持ちを汲みつつ商売を拡大していくのが望ましいわけです。

江戸時代末までの商人は「お客様のための商売を行う」ことを信条としていました。建設業の使命が「人々が安全に安心して生活や事業活動ができる環境を提供すること」であり、決して金儲けのために仕事をしているのではないことと同じですね。昔の大阪の商家には店に「見てござる」という張り紙をする習慣がありました。神様が見ているので、正しい気持ちで商売をしようということです。しかし、このような商売道徳は、欧米流の拝金主義が広がるにつれて、だんだんと失われてしまったように感じられます。

さて、設計部が20年来かかさず新年に参拝している穴守稲荷神社は、関東では銭洗弁天社と並んで金運を招く神社として有名です。このような神社に参拝する目的は、決して「お金が儲かりますように」とお願いすることではないことは、よく理解しておく必要があります。神社参拝の目的は、「清らかな気持ちで生きるための厄落としをすること」です。厄落としができると、清らかな気持ちで商売ができ、その結果、金運がもたらされるということになります。

そう考えると、来春穴守稲荷神社へ初詣に行ったときには、決して「○○が受注できますように」とか「会社の業績が良くなりますように」などと、金儲けに直結するようなお願いをしないようにした方がよさそうですね。そんなお願いには、神様は耳を貸してくれないようです。そうではなくて、「自分の身についている数々の穢れをお祓い下さい」、そして「人々の役に立つ仕事ができますように」と祈ることによって、初めて穴守稲荷神社の御利益があると思われます。新春の穴守稲荷神社の初詣は、そのような心構えで臨みたいと思います。

周期的な事象

私達が周期的だと思っている現象の背景には、継続して動いている事象があるのだと思います。一日とか一年や四季といった現象の源になっているのは、地球の自転と公転という継続的な動きです。継続的な動きに、太陽の存在や地軸の傾きなどの、ある要素が加わると、周期的な現象が現れます。プレート境界型の地震もそうですね。プレートがもう一方のプレートの下にだいたい同じ速度で潜り込んでいき、それらのプレート境界面にひずみが蓄積し、そのひずみが限界値に達すると境界面がすべり（破壊し）、ひずみが解放されます。その時に発生するのがプレート境界型の地震です。定常的なプレートの動きの中で、ひずみの限界値というような要素が加わることで、周期的に地震が発生することになります。「自然界で発生する周期的な現象の背景には、何か定常的な動きがあるはずだ」と考えると、新しい発見があるかもしれません。

このように自然界に周期的な事象があるためか、私たちは、身の回りで起こる様々な出来事に周期性（規則性）を見出して（こじつけて）、将来の出来事を予想したりしています。今回は、私が友人二人から聞いたこのような話の例を紹介しますので、気楽に読んで下さい。もちろん事実無根の他愛もない話ですが、酒の席の話題くらいにはなるのではないでしょうか。

1　「2009年に東京に大災害が発生する」

これを聞いたのは、2008年のこと。国のとある役所内で、面白おかしく語られていたそうです。曰く、「クールファイブのヒット曲と大災害には相関がある。『長崎は今日も雨だった』がヒットした1969年から13年目の1982年に長崎豪雨があった。『そして神戸』がヒットした1972年から23年経った1995年に神戸の震災があった。次のヒット曲は1976年の『東京砂漠』で、33年後は2009年になる」と。幸い、この説が正しくないことは実証されました。

2「2025年に日本はどん底を迎える」

先日、元厚生労働省の役人だった友人から送られてきた文章をそのまま掲載します。

『日本の近代史を顧みると同じ事の繰り返しが目立ちます。幕末の日本は欧米の植民地になってもおかしくないくらいの状態でした。欧米列強諸国との軍事的・経済的な力の差は歴然としているのに、江戸幕府の対応は緩慢かつ場当たり的で、1866年の第二次長州征伐から国内は内乱状態に陥りました。そのどん底状態から明治維新を行い、欧米に追いつくために近代化を急速に推進し、ついに1905年には、有色人種で初めてロシアという白人の大帝国に勝利（日露戦争）しました。しかし、その勝利を頂点として日本は進むべき道を誤って帝国主義の道を突き進み、満州事変・日中戦争を経て世界を相手に戦争を始めてしまい、1945年に完敗（第二次世界大戦敗戦）してしまいました。その結果、日本全体が空襲などで焦土となり広島・長崎には原爆を投下され、国民生活はどん底に陥りました。その敗戦から立ち上がり、東京オリンピック・大阪万博を成功させ、高度成長を続けた結果、世界第二の経済大国になりました。*Japan as No.1*という本まで出版され1985年にはプラザ合意が行われ、円高容認の中で日本の一人当たりのGDPは世界一になりました。しかし、これを頂点として、その後はバブル景気の狂乱の中で、日本は再び国の進路の方向性を見失い、少子高齢化の中で地盤沈下の時期を迎えています。近代日本史は、ジェットコースターのように栄枯盛衰が激しいものですが、その周期が奇しくも約80年なのです。そうすると、単純計算で今度は2025年ぐらいに、日本は再び「どん底」を迎えてしまうことになります。』

科学と技術

原子力発電や原子爆弾は、原子核物理学という純然たる科学分野において、アインシュタインの「$E=mc^2$」から生まれた技術ですが、「$E=mc^2$」そのもの、つまり科学に善悪があるわけではありません。「$E=mc^2$」を原子爆弾や核兵器に応用するのも、原子力発電に応用するのも他ならぬ人間です。さらに、安全な原子力発電所を造るのも、危険な原子力発電所を造るのも（結果的に〝造った〟のも）他ならぬ人間なのです。

科学の本質は、自然、自然現象を対象にした知的好奇心を満足させることであり、科学を推進する基本的な力は、その知的好奇心そのものです。自然には善悪はありませんから、その自然現象を扱う科学にも善悪はありません。

一方、技術は、人間の生活に役立たせるために、その時代の最新の知識に基づいて物を作ったり加工したり操作したりする手段です。技術は具体的な成果や物を生み出す手段ですから、明確な経済観念と目的を持って、政治的、社会的、経済的要請に準拠する必要があります。つまり、技術はそれを使う人間によって、企業によって、国によって善くも悪くもなるわけです。大地震がきっかけになって起こった福島第一原子力発電所の未曾有の大事故は、まさに「政治的、社会的、経済的要請に準拠」した結果、「悪くなってしまった技術」の典型によって引き起こされたものと言えるかもしれません。

「科学技術」と一つの言葉で綴られることもありますが、本来、科学と技術とは似て非なるものであり、厳格に区別しなければならないと思います。

この善にも悪にもなりうる原子力エネルギーに関する技術ですが、アインシュタインは、次のようなことを言っていますので、紹介します。

Through the release of atomic energy, our generation has brought into the world the most revolutionary force since prehistoric man's discovery of fire. This basic power of the universe cannot be fitted into the outmoded concept of narrow nationalism. For there is no secret and no defense; there is no possibility of control of atomic energy except through the aroused understanding and insistence of the peoples of the world.

We scientists recognize our inescapable responsibility to acquaint our fellow citizens with the simple facts of atomic energy and its implications for society. In this lies our only security and only hope: we believe that an informed citizenry will act for life and not death.

「我々科学者は、原子力エネルギーに関する純然たる事実と社会に与えるであろう影響について、市民に知らしめるという避けがたい責任を負っているのです」というアインシュタインの言葉です。この言葉を聞くと、「科学者はその説明を果たしてきたと言えるのだろうか?」「説明をしてきたのは、科学者ではなくて、技術者だったのではないだろうか?」といった問いかけをしたくなります。

第一種の過誤と第二種の過誤

マスコミが専門家に「絶対に安全ですか?」と尋ね、誠実な専門家が「絶対ではありません」と答えると、マスコミは「やはり危険だ」と報じます。専門家にとって『絶対に安全』ではない」=「可能性はゼロではない」というのは当然の言い方です。世の中に、可能性がゼロの事象などないからです。ところが、「可能性はゼロではない」と言うと、直ぐに可能性はイチ、すなわち100%確実だと思いこんでしまう人が多いようです。

病院で最新の検査をして医師から「病気だ」と診断された場合、ほとんどの人は「自分は病気なんだ」と思うでしょう。でも診断には間違う確率がありますから、「病気だ」と診断されたとしても病気でない場合もあるわけです。では、次の問題を考えてみて下さい。

『「病気にかかっている人」に検査法Aを適用すると、98%の確率で「病気である」と正しく診断されます。「病気にかかっていない人」に検査法Aを適用すると、5%の確率で「病気である」と誤って診断されます。病気にかかっている人の割合は3%、かかっていない人の割合は97%です。この検査法Aを適用して「病気だ」と診断されたとき、本当に病気にかかっている確率はいくらですか?』

皆さんは、何パーセントくらいの確率だと思いますか？

実際は病気なのに、「病気でない」と診断することを『第一種の過誤』と言います。この問題では１００－98＝２％です。一方、実際は病気でないのに、「病気だ」と診断することを『第二種の過誤』と言います。この問題では５％です。統計データがある場合は、このようなエラーを考慮して、物事を判断する必要があります。

この問題は、大学の入試問題として出題されたもので、論理的な思考ができれば、それほど難しくなく解答できます。数学的にはベイズの定理を使って解けますが、ここではわかり易く、数字を使って確率を計算しましょう。検査法Aを適用した人数を1万人とします。すると、病気にかかっていない人の数は、１００００×０・９７＝９７００人です。病気にかかっている人数は３００人となります。病気でないのに病気と診断される人は、９７００人のうち５％なので４８５人。一方、病気にかかっている３００人の内の98％が実際に病気と診断されたのですから、その数は２９４人。したがって、病気と診断された人の合計は、４８５＋２９４＝７７９人です。このうち、本当に病気にかかっているのは２９４人なので、「病気だと診断されたとき、本当に病気にかかっている確率」は２９４÷７７９＝38％となります。どうですか？　思ったよりも小さい確率だったのではないでしょうか？

福島の原発事故後の野菜の出荷制限について考えてみます。安全性に全く問題がないのに出荷停止になるのが『第一種の過誤』です。一方、安全に問題があるのに出荷してしまうのが『第二種の過誤』です。悩ましいのは、安全性に問題がある野菜の出荷を防ごうとして、出荷制限区域を広げれば、安全性に問題が無いのに出荷制限される野菜も増えてしまうということです。逆に、出荷制限区域を狭めれば、安全性に問題があるのに出荷してしまう野菜が増えてしまいます。つまり『第一種の過誤』と『第二種の過誤』はトレードオフのような関係になっています。統計データがあれば、目的関数が最大（最小）になるように数学的に出荷制限区域を決めることもできるでしょうが、そのような統計データはありませんから、きっちりとは線引きできない悩ましい問題となっているのです。

新年の行事

新年を迎えて、皆さんも初詣をされたことと思います。私は例年通り、元旦は地元の船橋大神宮へ、4日は本部で日枝神社へ、そして5日は設計部で穴守稲荷神社へ参拝に行きました。この一年間に身に付いた数々の穢れをお祓いしてもらうことで、気分一新して清々しい一年のスタートがきれたと思います。設計部が穴守稲荷へ新年の参拝をするようになって20年程経ちますから、設計部の年中行事として定着していますね。穴守稲荷のいいところは、小ぢんまりしているので、神前に近い所に座って参拝でき、グループ毎に代表者が玉串奉奠できる点です。つまり、神様を身近に感じることができます。穴守稲荷は、金運を招く神社として有名ですが、日本航空の神社でもあります。果たして、日本航空に金運をもたらしたのかどうか怪しい気もしますが。

玉串の「玉」は、「魂」を表します。人間の魂が、自由にあちこちに行き来できると考えていた古代人は、神前で誓いをたてるときには自分の魂を「串」という神聖な魂の入れ物に入れて鎮めて、動かない安定した状態にしておかなければならないと考えました。つまり、参拝する私達の魂は玉串奉奠のときにいったん玉串の中に入り、神前で清められたのちに、身体に戻ってくると考えたわけです。この神事に用いた玉串は、魂を清めてもらったお礼の捧げ物になります。もとは、祭りの場で刀剣や絹織物などの高価な供え物を神前に並べて玉串にしていたようですが、江戸時代頃から儀式を簡素にするために、神の衣を表す木綿や紙垂をつけた榊を玉串に用いるようになりました。有力者は、玉串奉奠の後で現金を神社に寄進しましたが、現在の御祈禱に対するお礼を「玉串料」の名目で神職に渡す習慣は、その頃の方式を受け継いでいます。

神社にお参りした後で、おみくじを引いて運勢を占うこともありますね。このおみくじは、精霊が集まる場所で御神慮を聞く古代の習慣をもとに作られたもので、現在のように、いく本かの串の中から一本の串を選ぶ形のおみくじは、江戸時代から始まったそうです。串に敬語の「お」と「み」をつけた「おみ串」という言葉が「おみくじ」になったと言われています。おみくじに用いられる串は、玉串の串と同じく、魂の入れ物とされます。つまり、いくつもの神様の分霊の中から一つの分霊を選ぶ行為が「おみくじ」というわけです。

玉串とおみくじについて紹介しましたが、神事や神社に関わることのそれぞれに由来があり、多少なりとも知識があると興味も膨らんできます。日枝神社の鳥居は笠木の上に屋根のような山型がついている山王鳥居で、他の神社の鳥居と違うのですが、そのような確認をすることも面白いものです。

7日の朝は我が家では「七草粥」を食べます。子どもの頃、祖母が朝早くから「唐土の鳥が日本の土地に渡らぬ先に何草たたく、七草たたく」と歌いながら七草を刻んでいたのをずっと継承しています。最近、鳥インフルエンザが流行し、中国からの渡り鳥がウイルスを運んでくるという話を聞いた時に、祖母が歌っていた歌から「七草粥は、ひょっとして鳥インフルエンザ予防の風習？」などと思いました。このような生活に密着した日本の文化も子どもたちに継承していきたいものですね。

日本の稲作文化

新緑が目に鮮やかな季節になりました。先週末に房総南部へ行きましたが、田植えの終わったばかりの田圃が沢山見られました。私は小学校と高校の時に授業で田植えをしました。小学校は広島県呉市の中でも田舎の地域だったので、学校に田圃があっても不思議ではありませんが、高校は渋谷駅から2キロ程の所でしたから、ちょっと想像できないかもしれません。私の通っていた高校の近くに、「少年よ、大志を抱け！」で有名なクラーク博士が日本にいた時に造った由緒正しい田圃があり、高校でその田圃のお守をしていました。そんな経緯もあって、高校1年の時には、農学という必修授業が週2回ありました。田植えに始まり、雑草取り、稲刈り、脱穀などの実習に加えて、植物の名前や害虫の名前なども勉強しましたね。その田圃では、もち米を作っていて、収穫されたもち米は、4月の入学式で新入生に配られる赤飯の中に混ぜられていました。これは私が経験した一例ですが、日本全国色々な地域の様々な場面で、稲作に関連する伝統文化が先祖から子孫へと継承されています。このような稲作に関係する文化が、地域社会の年中行事とも結びついて、日本人の心を育んできたのだと思います。

１９６０年の農家戸数は６０６万戸で、農業就業人口は１４５４万人でした。それが、50年後の２０１０年には、農家戸数が１６３万戸、農業就業人口は２６１万人と激減しています。２０００年から２０１０年の10年間を見ても、農業就業人口は33％も減少していて、減少傾向に歯止めはかかっていません。「食料・農業・農村白書」（農水省平成23年版）を見ると、国は食料自給率を現在の40％（カロリー換算）から50％へ引き上げるための戦略を策定していることがわかります。米に関しては、「朝食を欠食している１５００万人の食生活改善等で国産米の消費を拡大する」という方策が挙げられています。日本型食生活を再評価し、ご飯を食べ、米粉製品を用い、肉類の消費を抑えるなどで国内産食料の消費を増やしたり、飼料用コメの作付面積を増やしたりするほか、重層的な生産面の政策が組み合わされて食料自給率を向上させる努力が続けられてきました。

ところが、２００１年11月のＡＰＥＣ首脳会議で、野田総理はＴＰＰ参加に向けて関係各国との協議に入ることを表明しました。農水省のTPP影響試算によると、日本がTPPに参加すると、食料自給率は14％に激減してしまうそうです。この種の数字は鵜呑みにはできませんが、TPPに参加することは、食料自給率を上げようとする国の戦略とは逆行する方向へ進んでいくであろうことは十分予想できます。

日本の食糧生産が激減するという予想は、日本人の心を育み、共同体としての文化を形成してきた土台が崩れていくという予想に他ならないと思います。田植えが終わった水田に浮かぶ苗の風景や夏の夜にうるさいほど鳴く蛙の声など、日本人の心にしみ込んでいる原風景が減っていくことは、日本人のアイデンティティや精神構造をも変えていくことになるのだと思うと、寂しいと同時に不安を感じます。皆さんは日本の田園風景について、どのような思いを持っていますか？

ステレオタイプ

ステレオタイプという用語は元々印刷用の版型のことを指したのですが、対象に対して頭の中で構成されたイメージが、型にはまった陳腐な形式（紋切り型）になりやすいことを捉えて、ジャーナリストのLippmannが1922年に最初に用いました。現在では、ある社会集団の成員が持つ特徴にも用いられることがありますが、特に内面の特徴、性格や能力に関して用いられます。ステレオタイプを定義すると、『あるカテゴリーに属する人が持つ可能性の高い特徴に関する信念（記憶の用語では「認知表象」）』ということになります。たとえば、「日本人は勤勉である」と表現されるものですが、この時、全ての日本人が必ずしも勤勉ではないことは明らかだと思います。しかし、もしその点で同質的であると認知されるとしたら、ステレオタイプが意味を持つのです。また、ステレオタイプの議論の先行条件として、対象者のカテゴリー化が不可欠です。このカテゴリー化には、識別の根拠のはっきりしたものから曖昧なものまで、外見からすぐに判断できるものからそうでないものまで、様々な基準が存在します。その中でアメリカの社会心理学者が重要だと考えている基準は、人種、性別、年齢の三つです。ステレオタイプの利用が各カテゴリーへの偏見や差別などの社会問題の背後にあることが多いのです。

アメリカの心理学者ローゼンハンは、8名の実験協力者に、精神障害のあるふりをして別々の精神病院に入院してもらいました。協力者には入院後は普通に行動してもらい、何日で退院できるかを調べたのです。その結果、退院には平均3週間もかかりました。協力者が医者に、「自分は正常であり心理学の実験に参加しているだけだ」と主張しても認めてもらえませんでした。他方で、本当の精神病患者は、協力者が「正常である」ことをたやすく理解したそうです。そして、たいてい「回復兆候のある統合失調症」という診断をもらって退院することになりました。

ステレオタイプ化するとき私達は、どうやらその過程の存在に、あるいはその結果に無自覚でいるようです。このようなステレオタイプの自動性は、単なる認知や判断を超えて、行動にも影響を及ぼします。1999年にニューヨークで、あるアフリカ系の若者が警戒中の警官に射殺された事件は、ステレオタイプの自動性がそのような行動に影響を及ぼした例と考えられています。警官に呼び止められた若者は怖くて逃げ回り、追いつめられたときに上着のポケットにある財布を取り出して、中にある身分証明書を見せようとしました。ところが警官たちは、拳銃を取り出そうとしたのだと見誤り、多数の銃弾を一斉に発射してしまったのです。この行動の背後には、アフリカ系の人と銃の結びつきを過大に見積もるステレオタイプがあったと考えられています。ステレオタイプに基づく自動的な判断は、このように悲惨な結末に至ることがあります。

ステレオタイプが社会や職場などの集団の中で共有されていたり、またカテゴリー化が明確で分かりやすいような場合には、ステレオタイプが自動的に活性化しやすく、その適用が問題となりやすいことが明らかになっています。たとえば、都道府県毎の住民の性向や特性をとらえてステレオタイプ化することもありますが、この手の話は「なるほどな」と思い当たる節もあって、共感することもあります。そのようなステレオタイプでも、潜在意識の中にあると、間違った行動につながる危険性をはらんでいるので注意が必要です。時々、「あの人は○○大学出身だから」とか「出身高校はどこ？」などの発言を聞くことがあります。カテゴリー化が非常に明確な例です。ただ、このようなカテゴリー化に伴うステレオタイプが職場の中で醸成されてはいけないと思います。そもそも仕事の上では、出身校の情報は、客先との友人関係などごく一部の場面でしか必要ない情報ですから、職場では出身校などの話は慎むべきでしょう。「出身校を聞きたがる、あるいは話題にする人は、友達の数が少ない」という心理学の調査研究結果があります。これは、ちゃんとした調査研究に基づいた結論ですから、偏見や誤解から出来上がったステレオタイプではありません。つまり、「日本人は勤勉である」というステレオタイプではなく、「日本人はインド人よりも長寿である」という統計の分類に入ります。

吉田松陰

先日、ＪＡＬに乗って機内誌*Skyward*を見ていると、目を引かれた広告記事がありましたので、紹介します。それは、日本大学の広告記事で、日本大学の「自主創造の気風」の原点は、安政５年（１８５８年）に松下村塾の主宰だった吉田松陰が門下生の山田顕義（日本大学の学祖、初代司法大臣）の元服を祝って授けた扇にあるというものです。

その扇面には、以下の詩がしたためてありました。

『立志尚特異　俗流與議難　不思身後業　且偸目前安　百年一瞬耳　君子勿素餐』

大意は、「人とは異なる高い志を立てよ。俗流（高禄に執着する者）は共に論ずるに足らない。彼らは自己一身のことのみを考え、自分の死後も引き継がれるべき仕事は考えず、目先の安楽のみ追い求めている。百年という年月も実は悠久の歴史から見ればほんの一瞬に過ぎない。君子たるもの素餐（功労がないのに高位高官につく）してはならない。」

吉田松陰は1830年生まれで、いわゆる「安政の大獄」の流れで処刑されたのが1859年ですから、この扇を山田顕義に授けた時は28歳、処刑される一年前ということになります。私が感心したのは、吉田松陰が28歳という若さで、自分達は何をなすべきかという本質を見据えていたということです。「立志尚特異」とは、「自分の専門分野を定めて、その分野のプロフェッショナルになる」という設計部ビジョンそのものだと思います。それ以降の詩句の内容はあまり重要ではありません。いつの世の中にも「世の中への貢献」「自分の専門分野での貢献」などを考えずに、技術者としての実力も持たずに、「自己一身のことのみを考える」輩は多いものです。松陰の眼には、当時の長州藩や幕府の高官であるそのような人々が日本を停滞、腐敗させていると映っていたのでしょう。

吉田松陰が松下村塾の主宰として講義し、塾生とともに議論していた期間は一年余りに過ぎませんが、松陰の薫陶を受けて、幕末・明治の時代に世の中に活躍・貢献した門下生は数多くいます。幕末期では、久坂玄瑞、高杉晋作、吉田稔磨、明治新政府では、伊藤博文、山縣有朋、野村靖などが有名ですね。教育関係では、大学創立に関わった塾生が何人かいます。山田顕義は日本大学の創立者ですが、正木退蔵は東京職工学校（現東京工業大学）の初代校長であり、中村精男は東京理科大学の創設に尽力しました。飯田俊徳は、オランダ留学後、鉄道敷設に尽力し、初の鉄道山岳トンネルである逢坂山トンネルの総監督を務めました。27～28歳の青年が自分達のビジョンを描いて、後進へ伝え、その後進達がビジョンを実現していったという事実には、我々も見習うべき点があると思います。吉田松陰は、ロシア軍艦やペリーの船に乗り込む計画を立てましたが、両方とも実現できませんでした。もし、吉田松陰が当時の欧米を見聞していたら、福澤諭吉と同様に「天は人の上に人を造らず」だとか「職業に貴賤なし」などの欧米流の考え方を紹介し、日本人はどういう考え方を持ち、どういう方向へ進むべきかといった話をしただろうと思います。

技術の伝承

先週土木学会で、久しぶりに懐かしい先生とお会いしたので、色々と話をしました。土木学会で木材の委員会を作ることになり、立ち上げのための幹事会にその先生は出席されたそうです。その先生は、橋梁振動がご専門なのですが、10年ほど前には錦帯橋の架け替え工事にも携わっておられました。錦帯橋は１６７４年に建設されましたが、１９５０年にキジア台風に伴う豪雨により流出してしまいました。その後、１９５２年に架け替えられ、半世紀経った２００４年に平成の架け替えが完了し、現在の状態になっています。

錦帯橋の架け替え工事には、その技術を代々受け継いできた岩国の大工の集団があたったそうです。木造の橋ですから、木材の選定、構造上の工夫、施工精度の確保などのプロフェッショナルの技術（職人の技）が必要になりますが、錦帯橋の架け替えも50年に1回程度の頻度ですから、なかなか特殊な技を伝承していくことは難しいように思います。その先生は、架け替え工事に携わっていた大工の棟梁に「技術を伝承していくためには何が難しいですか？」と質問したそうです。まず、「木材が手に入らなくなってきているのではないですか？」と聞いたところ、「木材は海外からでも調達できるので問題ではありません」という返答でした。次に、先生は『人材不足』が一番の問題だろうと思って、「若手が不足していて技術の伝承が難しくなっていませんか？」と聞きました。すると、「人材は育っているので、次の世代への技術の伝承はされています」という返事でした。ここまで先生が話をして、「藤田さん、錦帯橋のような歴史的木造建造物を維持していくためには何が一番の問題だと思いますか？」と問われました。「材料でもない、人でもないとなると何でしょうねぇ」と答えあぐねていると、「一番の問題は『道具』だそうです」と先生が教えてくれました。

まず、建設当時のような釘が今は造れないという問題があるそうです。鍛冶屋の技術がなくなってきている、伝承されていないということだと思います。また、昔のようなカンナが手に入らなくなった、つまり、カンナを造れる人が少なくなったそうです。仕事が減ったためか、若者に人気がなくなったためか、道具をつくる技術が伝承されていないことが問題となっているようです。

「技術の伝承」のポイントについて、宮大工の菊池恭二さんは次のような項目を挙げています。

我々にも共通する内容なので紹介します。

- 失敗が起きたら、その原因ととことん向き合う
- 単純なミスほど、大きな失敗や事故につながる
- 他人の間違いを見るのも大事な勉強（人の振り見て我が振り直せ）
- 大きな失敗を怒ると、人は潰れる
- 自分で考え、決断させる
- 大工の成長は、仕事の濃さで決まる
- 人の仕事を横目で見て盗む貪欲さ
- 「なぜだ」という不思議な思いを、忘れずに胸にしまう
- 最後にものをいうのは、一途さ

自転車町内

以前のWeekly Mailで、「日本の都市部の景観は非常に醜い」という私の思いを書きました。実際、ヨーロッパの人々からも、東京の景観についてマイナス面のことを言われたことが何度かあります。一方で、日本の都市部にある「自転車町内」が世界の中で注目を集めています。

アメリカをはじめ世界中で「自転車都市」を実現させようとしているNGOのウェブサイトに次のような文章があります。「それは私が生活を維持していくのに必要な全てのものを探すために、安全に自転車で移動できるか、もしくは歩いて行けるようなコミュニティである。私は商店、図書館、そして文化的なイベントが徒歩もしくは自転車で確保できることを望むのである。」このNGOは、まだ日本の都市についてよく知らないようですが、日本の都市の研究をしているあるアメリカの大学教授は、日本には「生活を維持していくのに必要なほとんど全てを確保できる自転車町内」が存在していることを指摘しています。つまり、そのNGOが「理想的な都市空間」と言っているものが、既に日本では造りあげられていると言うのです。

その教授は、日本にある「自動車に抵抗できる自転車町内」について次のように解説しています。

『少なくとも、私がママチャリに乗りながら自転車町内を観察して気付いたのは、これらの自転車町内は幅員が数メートルしかない狭い道路で構成され、住宅や生け垣、商店に囲まれており、自動車は徐行を強いられているということです。小さな区画によって多くの交差点があるため、自動車はしょっちゅう止まらなくてはならず、速度はさらにゆっくりになります。こうした状況によって、町内を通過するだけの自動車は幹線道路を走るようになりますし、残りの町内交通も分散し、自動車の交通量は減ることになります。ぎっしりと建てられた沿道の建物の間には、自動車を容易に駐車するスペースもほとんどありません。そのような空間構造ゆえに、町内は自動車利用に「抵抗」できるようになるのです。私は「抵抗できる」という言葉を用いました。なぜなら、このような空間構造は、ドライバーに優しくはないですが、その利用を禁じてはいないからです。自転車町内には、生活に必要な運搬用トラックやタクシー、パトカー、消防車や救急車といった緊急車両などが入ることはできますし、自家用車の所有も禁じられていません。空間のレイアウトによって、自動車の使用が不便になっているだけなのです。その一方で、この自動車に抵抗する空間的な制約は、自転車利用者と歩行者の快適性を大幅に向上させていました。加えて、自動車交通が少ない小さな交差点はそれほど多くの信号が必要ないため、歩行者やママチャリ利用者は左右を確認するだけで再び進むことができます。ママチャリは、止まる時にはただ足を地面に降ろせばいいだけですから、こうした止まったり発進したりの繰り返しはお手のものです。』

日本の都市部に見かけられる自転車町内は、ちょっとペダルを漕げば日常生活に必要なものを簡単に手に入れることができる快適な生活空間になっているということです。

ヨーロッパの都市では、自転車専用道路が歩道の隣にあって、自転車も結構なスピードで走っているので、そんな交通の仕組みに慣れていない人には危ないだろうなと思うことがあります。そのようなスポーツタイプの自転車利用に比べると、日本の都市部の生活空間はママチャリ用になっているのだと思います。さて、ある意味で理想的な日本の「自転車町内」は今後も存続していくのでしょうか？

3割打者への期待

先日、同じような二つの案件の応札が重なった時のこと、二つとも受注できる確率はどれくらいかと考えたことがありました。一つの案件は4社の指名競争で、受注確率は40％程度と推定しました。もう一つの案件は、7～8社の競争になりそうで、受注確率は20％程度と思われます。この2案件が両方受注できる確率は？　と言えば、それぞれの受注確率を掛け合わせれば計算できるので、０・４×０・２＝０・０８、つまり8％となります。10％にも満たない確率ですから、両方受注できることは想定しておかなくてもよさそうです。

では、この場合、少なくとも一方の案件が受注できる確率はいくらですか？　すぐ答えがでましたか？　中学3年生なら、暗算で数秒で答えを言える生徒が沢山いると思います。答えは52％です。念のため、計算の方法を説明しておきます。「少なくとも一方の案件が受注できる」事象は、「両方とも受注できない」事象の背反事象なので、「両方とも受注できない」確率を1から引けば計算できます。「両方とも受注できない」確率は、（1－０・４）×（1－０・２）＝０・４８なので、それを1から引くと1－０・４８＝０・５２、52％となります。両方受注できる確率は８％と小さいのですが、少なくとも一方が受注できる確率は5割を超えることがわかります。

プロ野球では、実績データに基づいて、確率の高い作戦を選択することが行われています。

打者の苦手なコースに投げる、打者によって守備位置を変える、送りバントをする等々、より高い確率で、失点を防ぎ、得点を取れる戦術が使われています。3番、4番に打率3割の打者がいるとしましょう。先頭打者がヒットか四球で出塁し、2番バッターが送りバントで進塁させ、ワンアウト2塁の場面を想定します。この後出てくる3割打者の3番、4番バッターがヒットを打てば得点できるチャンスです。このケースで、3番、4番バッターのどちらかがヒットを打つ確率はいくらでしょうか？　さきほどの計算と同じなので、直ぐできましたね。両打者ともにヒットを打てない確率を1から引けばよいので、答えは、1−(1−0・3)×(1−0・3)＝0・51、51％となります。若干5割を超える確率になります。「ワンアウト2塁で3番バッター」という場面で、ファンの期待が膨らむ理由は、5割程度の確率でチャンスをものにして得点できたという事実が記憶の中に刻まれているからではないかと思います。3割打者が2人並ぶということは、ワンアウト2塁のチャンスをものにできる確率が5割を超すという大きな意味があることとなのです。

人は、6〜7割の確率で起こる事象は、「大体起こるだろう」と判断するようです。サイコロを6回振ると1の目は、「大体出るだろう」と思いませんか？　実はその確率は67％なのです。同様に再現期間100年の地震が100年間に発生する確率は63％です。さきほどの「ワンアウト2塁で3番バッター」の場面に戻りましょう。人が「大体起こるだろう」と判断する発生確率を60％とします。では、この場面で60％の確率で点が入るためには、3番、4番バッターの打率（両者同じ打率とします）はいくら必要でしょうか？　右記の説明を理解した方は、電卓を使って10秒くらいで答えが出たはずです。答えは3割6分8厘です。打率が3割7分程度の打者を2人並べておけば、ワンアウト2塁の場面では、人々は「確実に点が入る」という気持ちになるでしょう。でも、現実にはそんな高打率の打者を2人揃えることは難しいですよね。せいぜい3割打者を2人揃える程度ですが、その場合は点が入るか入らないかは五分五分で、ドキドキしながらその場面を楽しむことができます。

英語表現今昔

言語は常に変化しているので、外国語を話したり、書いたりする際には、おかしくない表現をする必要があります。日本で販売されているほとんどの語学の本では、時代遅れの表現が掲載されているので注意が必要です。特に知名度の高い著者が書いた本の内容を信じてしまうことは禁物です。今回は、今では誰も使わなくなっているのに、日本人がよく勘違いして使っているフレーズをいくつか紹介します。

【How do you do?】

年配の人は、中学校の初めに習った文章ではないでしょうか？　この表現は、少なくとも25年前には誰も使わなくなり、消滅した表現です。“It's nice to meet you!” “It's a pleasure to meet you!" "Pleased to meet you!" などが一般的です。

【May I have . . .?】

昔、何かを注文する時に使っていた表現ですが、今なら "Could I have . . .?" か、"Can I have . . .?" を使います。

【Hold the line, please?】

電話で相手に待ってもらうための表現として使われていましたが、完全に消滅した表現です。現在は、"Could you hold for a moment?" が普通です。

次に、手紙やメールの文章で使わなくなっている表現の例です。

【To whom it may concern】

個人名が分からない時に「ご担当者様へ」ということで使われていた表現です。現在は、個人に対しては、Dear＋役職名（Dear Customer Service など）、どこの部署か分からない場合は、Dear＋会社名（Dear IBM など）を使います。

【Please find attached file.】

find の使い方が古くて、気難しく堅苦しい印象を与えます。普通に、"I've attached . . . ." と言えばいいのです。

また、手紙やメールでは、“I do not”や“I will not”ではなくて、“I don’t”や“I won’t”を使いましょう。このような短縮形を使わないと、冷たく、ぎこちなく、神経質な感じがするそうです。“Don’t forget to bring your laptop.”（コンピュータを忘れないように）なら、ただの事前の注意になりますが、“Do not forget to bring your laptop.”（コンピュータを持参するのを忘れてはならない）とすると、権威を利用してお説教しているようになります。ただし、緊急事態のような場合だけは、“Do not take the elevator in case of fire.”という表現が使われます。

会話なら話し手の表情がわかるので問題ないのですが、メールでは“please”という単語は避けた方が無難です。ネイティブスピーカーには、pleaseという言葉に対して、お説教しているとか、へりくだっているという、不快感につながる印象を持っている人が多いそうです。ではpleaseを使わずにどう表現するかですが、次の2種類の言い換えを覚えておくと、多くの場合便利に応用できます。

■ pleaseを省き、justを使用する

If any more information would be helpful, just let me know.

Just send the package to our office.

■ Would it be possible to ~?を使う

Would it be possible to complete the report by Friday?

博愛中枢と快楽中枢

１９９３年、スイスは原子力発電所で発生した放射性廃棄物の貯蔵施設をどこに建設しようかと苦慮していました。廃棄物貯蔵施設は１０００年の間、人体や動物に危害を及ぼすことはない、と政府が保証したところで、潜在的な危険性がある廃棄物貯蔵施設の近隣に住むことを、誰もがそう簡単には受け入れられなかったからです。しかし最終的に政府は、ある地方の小さな町を候補地として選択しました。廃棄物貯蔵施設建設に対するその町の人々の賛否を調査すると、賛成が51％、反対が39％という結果でした。政府は、もっと賛成比率を上げるためには、金銭的補償を支給することが最善策であるという結論に至り、町民一人当たり年間２１７５ドルを税金から支払う議案を国会で通過させました。ところが、再び町民の賛成比率を調査してみると、その結果は予想外なものでした。賛成は24％に落ち込み、反対は76％まで膨れ上がったのです。

金銭的補償にもかかわらず、いったいなぜ賛成比率は下がってしまったのでしょうか？　金銭は往々にして、人を説得する手段となり得ますから、金額が十分でなかったと考えるのが普通でしょう。現に政府は、補償をまず４３５０ドルに上げ、さらに６５２５ドルまで引き上げました。しかしながら、そうしたところで、反対から賛成に翻ったのは、なんとたった一人だったのです。

ここまでお金の効力がなかったのは、実は人間の脳の仕組みと関係があります。脳には、人の行動を主導する二つの領域があります。その一つは、側座核または快楽中枢と言われる部位で、食料、趣向、金銭などに関する利己的行動を制御しています。もう一つの領域は、後部上側側頭溝あるいは博愛中枢と呼ばれ、他人に奉仕するなどの利他的な行動を支配しています。これらの二つの部位は同時に働くことはなく、状況によってそのどちらかが活動し、人の行動を決定しているのです。

金銭的補償が提示される前には、国や他の国民を助けたいという利他的な行動を支配する博愛中枢によって、半分以上の人々が原子力発電廃棄物貯蔵施設の建設に賛成していたのですが、補償が提示された途端に、行動の決定は博愛中枢から快楽中枢へと移り、潜在的なリスクに比べて補償が少なすぎるという判断が下され、大勢の人々が反対に転じてしまったわけです。

人は、社会的な必要性に訴えるように頼んだ方が、金品を差し出されたり将来の見返りを約束したりするよりも、その依頼を聞き入れてくれる可能性が高いことはよく知られています。客先や社内で頼みごとをする際には、「少し手伝っていただけませんか？」といった言い方で、相手の利他的側面に呼び掛けて、博愛中枢に刺激を与えることが成功の鍵になります。スターバックスは従業員への徹底した教育で有名ですが、その新入社員研修プログラムでは、同僚に何か頼みたい時には、“Could you do me a favor?”（ひとつお願いがあるのですが）という前置きをすることが勧められています。そしてこの単純な前置きは、依頼された人の博愛中枢を活性化させ、その脳の機能によって協力する意欲を促す可能性が高いことが証明されているのです。

ヘッドフォン実験

今日は「ヘッドフォン実験」という話を紹介します。

『ハイテク・ヘッドフォンの製造会社による市場調査だという名目で、大人数の学生が招集された。学生たちはヘッドフォンを渡されると、使用者が動いている時——たとえばダンスをしたり、頭を振ったりしている時——どんな影響が出るかを調べるのが目的だと言われた。

まず全ての学生にリンダ・ロンシュタットとイーグルスの歌を聴いてもらい、それから自分達が所属する大学の授業料を現在の５８７ドルから７５０ドルにあげるべきだと主張するラジオの論説を聞かせた。ただし、論説を聞くにあたっては、３分の１の学生には絶えず頭を上下に振るように、次の３分の１の学生には頭を左右に振るように、残る３分の１の学生には頭を定位置に保つように指示が出された。

これが終わると、歌の音質と頭を振った時にどんなふうに聞こえたかを問う短い質問票が全ての学生に配られ、その最後にこの実験の本当の目的である質問が添えられた。

「学部の授業料は、いくらが妥当な額だと思いますか？」

この質問に対する学生の回答は、非常に興味深い結果となった。

頭を動かさないように指示された学生はラジオの論説の主張にも動かされなかった。彼らが適正だと感じた授業料の額は582ドルで、ほぼ現行の額に一致した。頭を左右に振るように指示された学生は――単にヘッドフォンの質を試す実験だと言われているにもかかわらず――授業料の増額に強く反発し、平均すると年間の授業料を467ドルに下げるのが妥当だと答えた。

ところが、頭を上下に振るように言われた学生は、この論説に賛成し、平均して646ドルにあげるべきだと答えた。建前としては他の理由があるにせよ、単に頭を上下に振るという行為が、自分達の身銭を切らされる政策に賛同する結果をもたらしたのである。』

この原典の著者は、この実験から次のようなポイントを読み取っています。「一見すると些細なことが大きな違いにつながること」、「何かを語る時にそれを取り巻いている状況の方が、語られた内容よりも重要になる場合があること」、そして「説得というものが自分達のあずかり知らないところで作用すること」。この実験から考えると、相手にYesと言わせたい依頼項目がある場合は、間違いなくYesと言う項目をいくつか確認しておいて（頭を上下に振らせておいて）、その後本当の依頼項目をお願いするという手順にすれば、Yesと言ってくれやすくなるような気がします。

アンケートやインタビューなどで得られる人の意見には、それなりに真実を表しているとは思いますが、この実験で明らかなように、人々の意見や発言は様々な環境条件によって影響を受けることがわかっています。最近では、脳科学の知見を活用して、脳機能を測定して人の行動や心の動きを解析するニューロマーケティングの研究が進んでいるそうです。

大器晩成

「大器晩成」という言葉を辞書で調べると、「『老子』四十一章から。大きな器が早く出来上がらないように、大人物は世に出るまでに時間がかかるということ。大人物は普通より遅れて大成するということ」などと解釈されています。中国でも、この二千年間は「遅くなるが最後には〝大成する〟」という意味に解釈されてきました。ところが、1973年に湖南省の馬王堆《ばおうたい》漢墓《かんぼ》から発見された、それまでよりもさらに古い『老子』の写本である『帛書《はくしょ》』には、「大器晩成」とは記載されておらず、『帛書乙本』では「大器〝免〟成」、『帛書甲本』では「大器□成」と欠字でした。「免」を「晩」と写し間違えた、元の本が汚れて読めないので空白にした、などの理由が考えられます。「免」とは、「無い」「そうならない」という意味ですから、この発見によって元々の『老子』では「本当の大器ならば完成しない」という、これまでの解釈とは正反対の意味の文章だったことがわかりました。

日本では、「大器晩成」として未だに学校でも教えていて、それなりの意味になりますから『老子』と結びつけなければ良いのではないかと思いますが、『老子』の真意は「本当の大器は成功しなくてもよい」ということだったのです。「器」とは完成してしまえばそこで形が定まってしまいますから、本当に大きな器は完成しない＝人には無限大の成長の可能性がある、という大きな意味が『老子』の本当の視点だったということになります。

『老子』には、この「大器〝晩〟成」の他にも、現代日本でよく使われる言葉があります。「上善若水（上善水のごとし）」「天網恢恢《てんもうかいかい》」「和光同塵《わこうどうじん》」「小国寡民」などがその例です。私は今まで『老子』を読んだことがなかったのですが、最近『老子』を解説する本を3冊購入して読んでいます。そのきっかけになったのは、ＮＨＫで放送している『１００分de名著』という番組です。名著と言われる本を専門家が25分×4回＝１００分で解説してくれる番組です。ご存じの方も多いと思います。番組では5月に『老子』を取り上げ、面白そうだったので『老子』関係の本を購入してちょっと勉強しようと思ったものです。1月に取り上げた「般若心経」は高校生の時に面白そうなので意味もわからず暗記しましたが、『１００分de名著』の解説を聞くと「羯諦羯諦《ぎゃていぎゃてい》……」の部分が有り難い呪文であったことがわかりました。『モンテ・クリスト伯』、『戦争と平和』、『こころ』なども専門家の解説を聞くと、歴史的背景などの周辺知識もわかるので自分勝手に読む場合に比べて数段理解が深まります。

ちょっとした興味があれば、色々なことが手軽に学べる便利な世の中になったと感じます。

超ひも理論

高校生の頃、人間が生活している身の回りの寸法に対して、宇宙というとてつもなく大きな寸法の世界があり、その真反対に原子というとてつもなく小さな世界があり、全く大きさの異なる双方の動きに共通点があるように思えて不思議でなりませんでした。当時の私は、将来のエネルギー問題を解決できそうな核融合に興味を持っていたのですが、素粒子という小さなものを研究するなら、そのアナロジーのように見える宇宙に目を向けると素粒子に関する何かがわかるのではないかと思っていました。結局、私はその方面の仕事には就かず、土木技術者として今に至っているわけですが、40年ほど前に思っていた好奇心は、未だに頭の中にくすぶっています。

「超ひも理論」という言葉を、皆さんも聞いたことがあるでしょう。物質を構成する最小単位は素粒子ですが、この素粒子がとてつもなく小さな「ひも」であり、ひもの揺らぎ方が異なるために、別々の種類の素粒子として振る舞うというのが「超ひも理論」の大雑把な説明です。つまり、すべての物質の根源は、ひもの揺らぎにあるというわけです。この理論は、極小の世界から宇宙の成り立ちまでを解き明かす物理学の最終理論になりうると、世界中の物理学者から熱い視線が注がれています。人間の大きさを銀河系の大きさまで拡大したとしましょう。そうすると、原子1個の大きさは地球と太陽の距離くらいになります。ところが、それだけ大胆に拡大しても、素粒子のひもの長さは、やっと原子1個くらいの大きさにしかならないそうです。長さの最小単位として知られるプランクの長さは1.616×10^{-35}メートルですが、素粒子のひもの長さもこの辺りの寸法を想定しているようです。

「揺らぎ」の発想は、ドイツ生まれの理論物理学者マックス・ボルンが「物質がその場所に存在する確率が揺らいでいる」と解釈したことから進歩しました。皆さんも中学生の頃に、原子核の周りを電子が回っている図を見たことがあると思いますが、原子核の周りにある電子の位置は、「ある瞬間にここに存在する」とは限定できず、原子核の周りに雲のような形で存在しているというのです。この電子の位置の観測結果を見ると、その分布は対数正規分布の確率密度関数と瓜二つのように見えます。私の専門分野である信頼性設計法では、材料強度や荷重のばらつきを考慮して、構造物の持つ安全性を定量的に評価するのですが、その計算の中でも対数正規分布はよく使うのです。信頼性設計法の「物のばらつきを考慮する」という考え方が、電子やひもの揺らぎに共通した本質的なものなのではないかと思い、それならひもの揺らぎについても信頼性解析を使えば何か見えてくるものがあるのではないかなどと考えています。

リアス式海岸の海岸線はギザギザですね。その地図をどんどん拡大しても、相似形のようなギザギザは続きます。このようにどんなに拡大しても同じような複雑な図形が続くのが「フラクタル幾何」です。素粒子から宇宙に至るまでを見てみると、原子核の周りを電子が回っている、太陽の周りを惑星が回っているという同じような現象（自己相似性）があり、これは正にフラクタル幾何だと思います。このようなフラクタル性と揺らぎの間には密接な関係があることがわかっています。波の音、風の強さ、心拍数、脳波など自然界にある揺らぎの研究から、宇宙の実態や物理学の統一理論が明らかになってくるかもしれませんね。こんなことを考えていると、脳が活き活きしてきて気分転換には最適です。

惻隠の情

孟子の性善説の基礎には四端という四つの考えがあります。その四端とは、惻隠《そくいん》・羞悪（恥じ入る心）・辞譲（譲ること）・是非（善悪の区別）の四つです。この中の惻隠は、「惻隠《そくいん》の情《じょう》」として時々耳にする言葉です。

辞書で調べてみると「惻隠の情」には次のような用例が出ていました。

【用例1】君がこのように早く逝ってしまうとは想像もしませんでした。遺された奥様とお子様たちを思う時、惻隠の情を禁じ得ません。（友人の告別式の弔辞）

【用例2】あのじいさんには惻隠の情というものがないのかね。ご主人がなくなってまだ十日も経たないのに、未亡人に「家賃が払えないなら立ち退け」と言ったそうだ。（因業な家主のうわさ）

この「惻隠の情」の出典である『孟子　公孫丑・上』の記述は次のようになっています。
『今、人乍《にわか》に孺子《じゅし》のまさに井に入らんとするを見れば、皆怵惕《じゅってき》惻隠の心あり』（今にも井戸に落ちようとしている赤子を目にしたら、だれでもハッと驚き、かわいそうだ、助けてやろうと思うに違いない）

幼い子どもが誤って井戸の枠に登って中に落ちそうになっているのを見たら、その子どもを助けようと走り出す心を誰でも持っているということで、このように他人が危うい目に遭っている時、それを見過ごして何もせずにはいられない人間普通の心情を孟子は「惻隠の情」と名付けたのです。このような感情を誰もが持っていることに対しては異存の余地はないでしょう。そこで、孟子は、この例え話などを使って、人間の本性は善であり、生まれながらの悪人などこの世にはいないのだと、持論の性善説へと導いていくのです。伊藤仁斎や吉田松陰が『孟子』に高い価値を認めた理由の一端も、この「惻隠の情」の論理に敬服したからだと言われています。

さて、孟子の例え話を見ると、何のしがらみもなく、邪念もなく、咄嗟に本能的に発露する感情が「惻隠の情」の本来の意味だと思われます。これに対して、先程の用例には、「（この状況なら）情けをかけるべき」という論理的な思考があるように思われるので、現状では、本来の「瞬間的な」情とはちょっと違うニュアンスで使われていることがわかります。実際、「お情け」とか「憐れむ気持ち」といった意味で「惻隠の情」という言葉を使っていることが多いですね。このように、日常かわされている会話やスピーチを振り返ってみると、本来の意味からずれた意味で使われている言葉は少なくありません。言葉の意味は、そのように時代とともに変化していくものですが、そうは言っても、その言葉を使う場合は、本来の意味をちゃんと理解しておくことは重要なことだと思います。人が使っている言葉や世の中に流布している言葉を鵜呑みにして使っている人を見ると、軽くて薄っぺらな印象を受けます。皆さんには、是非、不明確な言葉は自分でちゃんと意味を調べて理解した上で、自分の言葉として使うようにして欲しいと思います。

ランチョン・テクニック

アメリカで行われた面白い実験があります。まず学生を、ピーナッツとコーラが用意されている部屋と何もない部屋に分けます。そして、全員に「10年以内に月旅行ができるようになる」「がんが治療できるようになるまでには、まだ20年以上かかる」という記事を読んでもらいました。記事を読み終わった後、「あなたもそう思いますか?」と尋ねたところ、「そう思う」と答えた学生の数は、ピーナッツとコーラが用意されている部屋の方が圧倒的に多かったという結果が出ました。

もちろん、ピーナッツやコーラに人の心を動かす薬が入っていたわけではありません。ポイントは「飲食しながら説得したかどうか」にあります。このように飲食しながら相手を説得する手法を「ランチョン・テクニック」といいます。「ランチョン・テクニック」が効果的なのは、飲食していることは誰にとっても心地よい体験で、知らず知らずのうちに気持ちが緩むからです。何もこれは人間に限った事ではありません。アフリカのサバンナでライオンや豹が獲物を襲うのは、獲物が食事をしているときです。生き物はみな、食事をしているときに緊張が緩むのです。

「ランチョン・テクニック」は、店の雰囲気や料理の味が良ければ良いほど効果的です。なぜなら、人は美味しい料理を食べているときは、料理を味わうことに専念したいため対立を避けようとするからです。「ノー」と言うためには、その理由を考えなくてはなりませんし、気分が悪くなります。それでは、せっかくの御馳走が台無しです。また、自分の馴染みの店へ連れていくのも効果的です。馴染みの店は自分の縄張りなので、心に余裕を持って「お願い」ができます。

お願いを上手に聞いてもらうテクニックには様々なものがあります。その中に「フット・イン・ザ・ドア」というものがあります。これは、ドアを開けた瞬間にセールスマンは足を挟み入れ、閉めさせないことに由来しています。これもアメリカでの実験ですが、大変面倒な調査を依頼する場合、どのような方法でお願いすれば最も協力してくれるかという実験が行われたことがあります。その結果、「最初に簡単なアンケートに協力してもらい、その後に面倒な調査を依頼する」という方法が最も協力を得やすいことがわかりました。人は無意識のうちに、同じ相手に対して自分の言動に一貫性を持たせようとします。つまり、一度「いいですよ」と言ってしまうと、次に「ダメ」とは言いづらいのです。

皆さんの仕事の中でも、また私生活においても、人に「お願い」することが多々あると思います。右記のようなテクニックを使える場面は少ないかもしれませんが、相手の心理状態を考えて、最も「Yes」と言ってくれそうな依頼の方法を考えることは重要なことだと認識しておきましょう。

ブルーライト

2カ月程前から眼の調子が悪く、朝起きると充血し、昼間はヒリヒリするようになりました。パソコンを見る時間が長いからだろうと思います。眼医者で色々と検査をしてもらったところ、それほどひどい状態ではないとのことでしたが、パソコンモニターに眼鏡の焦点が合っていないことも原因の一つだと言われました。目薬を点眼しているものの、症状はなかなか良くはなりません。

スマートフォン、タブレット、ＬＥＤ照明など、日常生活の中で私達は否応なくブルーライトを浴びています。青色発光ダイオードの発明により、急速に普及したＬＥＤ照明ですが、その光は眼や人体に深刻な影響を及ぼしていることが段々わかってきました。眼精疲労や加齢黄斑変性など眼への影響だけでなく、夜間に過剰のブルーライトを浴びると体内時計が乱れて心身に変調をきたすことがあきらかになっています。今年の6月には、第一回国際ブルーライトシンポジウムが開催されました。身近でブルーライトを発する機器では、液晶テレビ＜パソコンモニター＜スマートフォンの順で、ブルーライトの量が多いことが実験で確認されています。更に光の強さは距離の二乗に反比例するため、液晶テレビやパソコンモニターなどよりもずっと近い距離で画面を見るスマートフォンは他の機器に比べて、ブルーライトの影響がかなり大きくなります。

人間の体内時計の周期はほぼ24時間だそうですが、この体内時計を刺激する光が、太陽光に含まれている青い光＝ブルーライトであることがわかっています。人間は、日が昇ってきた朝にしっかりと太陽から発せられるブルーライトを浴びることで規則正しい体内時計のリズムを保って健康な体を維持することができるのです。ところが、最近人工的に生まれたLED照明に含まれるブルーライトが、人間の体内時計に変調をきたし、様々な悪影響を与えていることが明らかになってきています。体内時計が乱れると、睡眠障害を引き起こすことはもちろんのこと、血糖値を下げるインスリンの働きが悪くなり、糖尿病のリスクを高めることはよく知られています。また、夜明るい環境で過ごすと太り易くなることもマウスの実験で明らかになっています。

ブルーライトとの付き合い方も、浴びるタイミングと量が重要だと言えます。夕方から夜はできるだけ浴びない方がいいのですが、朝や昼はできるだけたっぷり浴びておかないと、体内時計を正常に保って健康を維持することはできません。夜はパソコンモニターやスマートフォンの画面をできるだけ見つめない、特に就寝前1時間はスマートフォンを使わないという生活習慣が重要なようです。「光害」や「光メタボ」という言葉が登場したのはつい最近のことですが、ブルーライトがこの先の未来にどんな影響を与えるのか、実際のところは、もっと長い時を経てみなければわからないことが多いのです。

正規分布

信頼性設計法で確率変数の分布形としてよく使われる正規分布の発見から近代統計学が誕生するまでの話を紹介します。

ベルのような形をした正規分布を初めて数式で表した人は、フランスの数学者ド・モアブルで1718年に出版した『偶然論』という本の中に出てきます。この本は「確率論の近代的な最初の書物」と言われています。ド・モアブルは、n枚のコインを投げてk枚のコインが表になる統計を取り、横軸にk、縦軸に出現回数の棒グラフを書いていきました。そして、その試行回数が多くなると、左右対称のきれいなベルの形をした確率分布が得られることに気づき、それがきっかけとなって、正規分布の数式を導き出したそうです。

ド・モアブルの少しあと、同じくフランスの数学者のラプラスは、ド・モアブルが導き出した成果を拡張して、コイン投げに限らず、もっと多くの確率現象に関しても、極限としてベル曲線が現れることを証明しました。ラプラスは物理学に多くの業績を上げ、著作の『天体力学論』は「第二のニュートン」と称されましたが、確率論への貢献も大きく、１８１２年の『確率の解析的理論』は「歴史上もっとも偉大な数学者によって書かれたもっともすばらしい著作の一つ」と評価されています。

正規分布は、当初はコイン投げやサイコロ投げのような数学的な抽象モデルの中で発見されたのですが、その後、多くの現実の不確実現象の中で確認されるようになりました。典型的なのは、同一種の動物の体長や同一種の植物の丈の分布です。また、製造製品の標準仕様からのばらつきも正規分布することが認められます。鋼材強度の分布などで皆さんも目にしたことがあるでしょう。あるいは先週末に実施された大学入試センター試験など大規模な試験の点数の分布にも表れています。株価変動の確率分布も正規分布に酷似しており、正規分布に従うと信じている専門家も多いそうです。また、ミクロの物理現象の中にも発見されています。容器の中に閉じ込められた単原子気体（理想気体）が、どのような運動をしているかということが19世紀の物理学者マクスウェルやボルツマンによって計算されました。これは、分子運動論と呼ばれ、現在の統計物理の原型となりました。彼らは、分子運動の一方向の速度分布が正規分布になることを突き止めました。

正規分布は、ドイツのガウスとアメリカのアドレインによって、ド・モアブルやラプラスとは別の方面から再発見されました。それは観測誤差に関する研究でした。ゲッチンゲン大学の天文学教授だったガウスは、天文や数学の研究にいそしむことになり、１８０９年に『天体運行論』という本を出版しました。その中でガウスは、正規分布の導出を行っています。しかもそれは、最小2乗法という、その後の統計学で重要な推定法となる方法論の先駆けとなる計算でした。「観測値の標準偏差が最小となるように真実の値を決める」推定の方法、すなわち最小2乗法をガウスは見出したのでした。正規分布をガウス分布と呼ぶことがあるのは、ガウスの貢献が最も大きかったからでしょうか。

このように統計学の素地が作り上げられた後、これを一気に完成のレールに載せたのが、イギリスのロンドンで１８５７年に生まれたカール・ピアソンという統計学者でした。ピアソンは、与えられたデータからその分布の特徴を抜き出す「記述統計」という方法を確立しました。そして、正規分布以外の分布を研究し、相関係数の概念を考え出しました。ピアソンが現代統計学の祖と言われる所以です。

科学リテラシー

日本語にはカタカナがあるので、外来語を簡単に取り込むことができます。その一方で、外来語がカタカナとなって氾濫しているような印象を持っている人も多いのではないでしょうか？　最近、よく目にしたり耳にしたりする外来語（英語）で、私が気になっている言葉は、ガバナンスgovernance（支配、統治、管理）、レジリエンスresilience（復元力、回復力、弾力）そしてリテラシーliteracy（読み書き能力）です。これらの言葉をカタカナの外来語のまま使う必然性があるのでしょうか？　一つの理由として、ぴったりした邦訳がないことが考えられます。でもそれなら邦訳を造ればいいですね。明治の初めは新しい言葉をどんどん造っていたのですから。あるいは、昭和時代のアメリカかぶれのように、アメリカでよく使われている言葉なので、かっこいいからそのまま使っているのでしょうか？　そして、誰かが使っているのが、かっこよさそうだから真似をしている人が増えているのでしょうか？　これらの言葉のうち、ガバナンスとレジリエンスは、ほとんど意味にばらつきなく使われているので、外来語のまま使われていてもなんとなく意味がわかるのですが、リテラシーは本来の意味からかなり幅広い意味にまで拡大変化しているため、使っている人がどういう意味で使っているかを見極める必要があります。

literacyという言葉は、元々は「書き言葉を、作法にかなったやり方で、読んだり書いたりできる能力」を指していた用語で、日本語では「識字」と訳されていました。その後この言葉は、様々に類推的・拡張的に用いられるようになり、「なんらかの分野で用いられている記述体系を理解し、整理し、活用する能力」という意味で用いられるようになってきました。各分野の人々は、それぞれの分野で特に必要とされる記述・表現体系を扱う能力を「〇〇リテラシー」と呼ぶようになっています。その中で我々土木技術者に関係する科学リテラシーについて紹介します。

アメリカの国立教育統計センターによると、科学リテラシーとは「個人としての意思決定、市民的・文化的な問題への参与、経済の生産性向上に必要な、科学的概念・手法に対する知識と理解」と定義されています。また科学リテラシーのある人物とは、以下に挙げる能力を有する人だそうです。

- 実験・推論の考え方および基本的な科学的事実とその意味を理解している。
- 日々体験する物事に対して好奇心をもって接し、疑問を見出し、問いかけ、答えを導くことができる。
- 自然現象を、表現あるいは説明、予測することができる。
- マスメディアの発する情報を分別を持って読み取り、その帰結の妥当性を社交の場で話しあうことができる。
- 国や地域の意思決定に伴う科学的な問題を認識し、科学的・技術的に熟考した上で自らの見解を表現することができる。
- 情報源および研究手法に基づいて、科学的情報の質を評価することができる。
- 議論の場において、証拠に基づいた主張・評価を行い、そこから妥当な結論を導くことができる。

この要件を見ていると「技術説明学（technology accountability）」が対象としている内容と

似通っているように思いますし、プロフェッショナルの必要条件でもあります。それならば、「科学リテラシーのある人物」などと回りくどい表現を使わずに「プロフェッショナル」と呼べば済むように思います。10年ほど前から「科学技術リテラシーの向上」に関する講演会などが開催されるようになりました。若者の理科離れを懸念してのものが多いようですが、「土木リテラシーの向上」ならば、義務教育に「防災」「エネルギー」「物流」などの単元を加えることが最も効果的だと思っています。皆さんはどのように考えますか？

オイラーの方程式

世の中で一番美しい方程式は、オイラーの方程式 $\exp(i\pi)+1=0$ であり、この方程式は人類の至宝とも言われています。一つの方程式の中に、ｅと i と π と1と0との関係が凝縮されているのですから、数式の中でこれ以上完成度の高いものはないことは容易に理解できると思います。オイラーは、生涯で８００編を超える膨大な数の論文を発表し、18世紀最大の数学者と呼ばれています。今回は、そのオイラーが「平方数の逆数の無限和はいくつになるか」という『バーゼル問題』を解決に導いた話を紹介しましょう。

平方数の逆数の無限和とは、1/(1×1)+1/(2×2)+1/(3×3)+……ということです。まず、スイスの数学者ダニエル・ベルヌーイは、１７２８年に「この値は、きわめて8/5に近い」とゴールドバッハへの手紙の中に書いています。ダニエル・ベルヌーイは、三代にわたって８人も数学者を輩出した数学一家の中の一人です。また、ゴールドバッハは、「４以上の偶数は２個の素数の和である」という現在も未解決の『ゴールドバッハ予想』を提出したプロイセンの数学者です。そのゴールドバッハは、翌年１７２９年にこの値を1.6437と1.6453の間の数だと突き止めています。

そして、スイスの数学者オイラーの登場です。オイラーは、１７３１年にさらに精緻な値1.644934を得ました。しかし、まだこの時点では、オイラーもこの数の正体に気付いていませんでした。オイラーは、その後、執念でこの値を20桁まで計算しました。それが次の値です。

1.64493406684822643647。

ここまで来て、オイラーは遂にこの値の正体を突き止めることになります。まずこの値に６をかけると9.8696……が得られます。次にこの値の平方根を求めると3.141592……となり円周率πとなるのです。６をかけて平方根をとるとπになる、だから、πを２乗して６で割った値が「平方数の逆数の無限和」ということになります。オイラーがこの結果を発見したのは１７３５年のことでした。平方数の逆数の無限和には、なんと、円周率の２乗が現れることを見つけたときにオイラーは非常に驚いたと思います。さらに、オイラーは10年の歳月を費やして、この事実を証明したのでした。

電卓など勿論なかった時代に、試行錯誤を繰り返し、演繹的に方程式を導き出すという作業からは、物事に没頭する執念が伝わってきます。さらに、「なぜそうなるのか」という真実を解明しようとする姿勢は、私達も見習うべきものがあります。
オイラーの好奇心は、ここでとどまるようなものではありませんでした。オイラーは、1737年に次式のように、「平方数の逆数の無限和」が「素数に関係する無限積」で表されることを発見しました。

1/(1×1)+1/(2×2)+1/(3×3)+……=(2×2)/(2×2−1)×(3×3)/(3×3−1)×(5×5)/(5×5−1)……

この式は、(自然数全体に関する和)=(素数全体に関する積)という意味を持っていますし、素数が円周率と関係を持っていることも示しています。この式の右辺は現在では『オイラー積』と呼ばれています。オイラーはさらにこの式が2乗だけではなくて自然数乗でも成立することを証明しています。

文化の伝承

宮城県多賀城市八幡の宝国寺本堂の裏に「末の松山」という標高10m程度の小さな丘があり2本の松が立っています。ここに大津波にまつわる伝説があるので紹介します。昔、八幡に玉芝という女将の営む飲み屋がありました。その酒が美味だというので、猩々が通ってくるようになりました。猩々の血が高価であることを知った玉芝は猩々を殺そうとたくらみます。下女の小佐治は不憫に思って猩々に知らせたところ、猩々は「自分が殺されて空が黒くなったら、末の松山に逃げよ」と教えました。果たして、猩々が殺された後、東の空が真っ黒になり、天地鳴動して大津波が襲ってきたのです。猩々の教え通り末の松山に逃げて助かった小佐治は尼になって犠牲者を弔ったと伝えられています。この大津波は貞観11年（８６９年）に発生した貞観地震に伴う大津波のことだと言われています。東日本大震災では、多賀城市も津波の被害を受け、末の松山も山裾は４ｍ前後の津波に襲われたのですが、辛うじて今回も助かりました。

「末の松山」は愛の契りを詠んだ歌に多く現れる歌枕ですが、９０５年に古今和歌集に奏上されたのが初めてだと言われています。貞観津波から36年後のことなので、貞観津波が末の松山を越えなかったという伝承が都に伝わり多くの歌が生まれたというのが定説となっています。それらの歌の中で最も有名な歌は、百人一首42番の「契りきな　かたみに袖をしぼりつつ　末の松山　浪越さじとは」ではないでしょうか？『あの頃、あなたと約束しましたよね。お互いに袖がぐっしょり濡れて、しぼらねばならないほど涙を流して。あなたと私の愛情は、永遠に不滅だと、あの波が絶対に越えられないという「末の松山」のように、２人の心が永遠に変わらぬものだと』というのが現代語訳です。作者の清原元輔（９０８～９９０）は三十六歌仙に名を連ねる歌人で、『枕草子』の作者である清少納言の父です。

末の松山のような伝承や津波石など、津波の来襲を後世に伝えるものはいくつも散見されます。また、京都の祇園祭はこの貞観地震後、朝廷が御霊会を催したのに端を発しているそうです。祇園祭の山鉾の数66本は当時の国の数に合わせたということです。当時の人々にとって貞観津波のような大津波による被害は余程インパクトが強かったからこそ、そのような史跡や文化が残されていることをよく理解し、その時の惨状はどのようなもので、人々はどのようなことを考えたか、といったことに想像を膨らますことが必要なのだと思います。

昨年伊勢神宮の式年遷宮が行われましたが、20年毎の建て替えという行為を通じて文化や技術が伝承されるし、神宮は半永久的に維持することができます。伊勢神宮で使われたヒノキの柱が、解体された後に他の神社の鳥居に使われ、また20年後にはさらに別の神社の鳥居に使われるというリサイクルも行われています。ヨーロッパの都市では、戦争で破壊された旧市街の建造物が再建され、教会などの建造物が莫大な税金によって常に修復されている様子を見るにつけ、「文化の伝承」の重みを感じます。

高度経済成長期に建造されたインフラの大規模更新が大きな課題になっています。この構造物は将来にわたり要求機能を充たすのか？　後世に残すべきものなのか？　ということを判断する視点も重要だと思いますし、継続的に更新できる仕組みを早急に整備する必要があります。大規模更新を検討する際には、現在行われている「文化の伝承」の事例から学ぶことも多いのではないかと思います。

指を使った計算

私達は小さい時から指を折って物の数を数える習慣が身に付いています。手の指の数が左右合わせて10本なので、十進法が定着したのではないかとも思います。今日は、指を使った数え方と計算方法のトリビアを紹介しますので、気楽に読んで下さい。

高校生の頃だったと思いますが、二進法を使って指で数を数える方法を練習した時期がありました。数の数え方ですが、親指が折れたら1、人差し指が折れたら2、中指が折れたら4、薬指が折れたら8、小指が折れたら16と数えることとします。二進法では、折れた指を1で、伸びた指を0で表します。たとえば、中指と人差し指と親指が折れている場合は、二進法では111となり、十進法に換算すると4＋2＋1＝7となります。5本の指が全て折れると二進法で11111、十進法では31となります。なぜこんなことを考えたかというと、普通に指を折って伸ばして数える方法では片手で10までしか数えられないのですが、二進法だと片手で32まで、両手だと1024まで数えられるので、役に立ちそうだと思ったからです。そのことに気づいてから、指の折り伸ばしのスピードを上げて、二進法で32までを早く数える練習をしました。その頃の練習のお蔭で、指が数える動きを覚えていて、当時よりは遅くなりましたが、今でも指を使って32まで6秒くらいで数えることができます。この方法ですが、その後の経験を振り返ると、残念ながら数を数えることには殆ど役に立ちませんでした。しかしながら、指を動かす練習（脳の活性化？）としては有効なのではないかと思います。

もう一つ紹介するのは、両手の指を使って九九を計算する方法です。こちらは私のオリジナルではなくて、学生の頃読んだ本に書いてありました。掛け算で五五（5×5＝25）までを知っている人が、両手の指を使って九九までを計算する方法です。7×8を例に説明しましょう。まず7－5＝2なので、右手の親指と人差し指の2本を折ります。次に8－5＝3なので、左手の親指と人差し指と中指の3本を折ります。左右の手で折れている指の数の和が10の位になります。この例では、右手で2本、左手で3本、合計5本の指が折れているので、50となるわけです。今度は、右手で伸びている指3本（中指と薬指と小指）と左手で伸びている指2本（薬指と小指）とを掛け合わせます。つまり、3×2＝6です。この値が1の位になります。最後に10の位の値50と1の位の値6を足し合わせて56となり、これが7×8の答えとなります。

文章で書くと長ったらしいのですが、一旦理解すれば、指を使って直ぐに計算できるようになります。9×9なら、左右4本ずつ指を折って合計80、伸びている指は1本ずつなので掛け合わせて1×1＝1、つまり80＋1＝81となり、9×9＝81と計算できます。皆さんも8×9、7×7、6×8など色々な例でこの指計算の方法を確かめてみて下さい。この指を使った計算方法は、確か南国の島で実際に使われていた方法だと紹介されていたと思います。興味のある人は、二つの数字をaとbとして、前記の方法を式で表して計算してみて下さい。結果はa×bとなり、簡単に証明することができます。

こんな話もたまに酒の席などで紹介することがありますが、今までにこれらの方法を知っている人に出会ったことはありません。ですから、ちょっとした場つなぎには効果的です。何も道具を使わず、手だけあればいいので、まさに手軽な余興です。皆さんのレパートリーの一つに加えてみてはいかがですか？

天気予報

だんだん気温が上がり、夏の到来を感じさせる季節となりました。本格的な夏の前の梅雨時には、天気予報の降水確率が気になります。降水確率はもうすでに市民の間に定着した言葉になっていて、人それぞれの行動において重要な情報となっています。この降水確率について、少し解説したいと思います。

気象庁が発表している降水確率とは、「その地域で6時間以内に1ミリ以上の雨が降る確率」と定義されています。その時間帯に合計1ミリ以上の雨が降るか降らないかの確率なので、降水確率が100%でも雨量が多いとは限りませんし、降水確率が0%でも1ミリ未満の雨が降るということも想定しています。また、雨が断続的に降るか連続的に降るかも問いません。さらに、予報地域内はどこでも同じ確率であり、その地域内のどこで降るかは特定していません。この降水確率は、気象庁が保有している過去の膨大な気象データを使って算出されています。たとえば、「降水確率が30%」というのは、過去のデータの中から、予想される大気の状態と同じような事例を集めたとき、100回中30回雨が降っていた、ということから発表されています。

さて、この気象庁が発表する降水確率の的中率はどれくらいでしょうか？　気象庁では、天気予報の降水確率や降水の有無、最高気温・最低気温の当たりはずれを検証しています。「降水の有無」が的中した率を見てみると、全国平均で85％程度になっていて、この20年で5％程度向上しているそうです。その内訳を分析すると、「降水あり」の的中率は65％程度、「降水なし」の的中率は90％程度となっていて、「降水なし」の天気予報はかなり信頼度が高いことがわかります。天気予報の精度を向上させるためには、そのベースになっている数値計算の精度を向上させる必要があります。そのためには、観測データをいかに有効活用するかという技術開発や膨大な計算を限られた時間の中で実施できる計算能力の向上が重要です。

最近の天気予報は「よく当たる」という印象を持っていますが、長期間の予報はまだまだ難しいようです。地球全体をモデル化した「全球モデル」の数値計算による予報精度は、年々向上していて、明後日までの予報はかなり正確になっています。しかし、それより先の長期予報にはかなり誤差がでてきてしまいます。その原因は、大気の動きにカオス性が現れるからです。数値予報では、現在の値（初期値）にわずかなずれがあると、計算を繰り返すうちに予想は大きくずれていきます。この現象をカオスと言います。カオスは１９６０年代初頭、気象学者のエドワード・ローレンツが、気象モデルをコンピュータで計算していた際に発見しました。カオスは大気が持つ性質であり、観測や予報の技術を改良しても完全には解決することはできません。

この大気のカオス性を克服するために、長期予報では、初期値をわずかに変えて複数回の計算を行い、それらの平均をとるという方法（アンサンブル予報）がとられています。気象庁が発表している1週間先までや1カ月先までの予報には、アンサンブル予報を使っています。また、天気予報の精度を向上するためには、陸上からの気象観測の他に、海から空から宇宙からの観測が不可欠で、今年度（２０１４年度）には観測機能を強化した「ひまわり８号」が、そして２０１６年度には「ひまわり９号」が高度３万６０００㎞の静止軌道に打ち上げられる予定です。

老子の第二十五章

『老子』の「第二十五章」は、非常に興味深い内容となっています。まず、岩波文庫の蜂屋邦夫さんの翻訳を紹介しましょう。

『何かが混沌として運動しながら、天地よりも先に誕生した。それは、ひっそりとして形もなく、独り立ちしていて何物にも依存せず、あまねくめぐりわたって休むことなく、この世界の母ともいうべきもの。私は、その名を知らない。かりの字《あざな》をつけて道と呼び、無理に名をこしらえて大と言おう。大であるとどこまでも動いていき、どこまでも動いていくと遠くなり、遠くなるとまた元に返ってくる。道は大なるもの、天は大なるもの、地は大なるもの、王もまた大なるものである。この世界には四つの大なるものがあり、王はその一つを占めている。人は地のあり方を手本とし、地は天のあり方を手本とし、天は道のあり方を手本とし、道は自ずから然るあり方を手本とする。』

これは、原文に忠実に翻訳したものなので、1回読んだくらいでは何を言っているのかよく理解できません。

ところが、谷川太一さんが独自の解釈を取り入れて『柔訳』した文章は、次のようにあっと驚く内容となっています（『柔訳　老子の言葉』経済界）。

『何か混沌として混じり合ったモノが宇宙の始まりに存在しました。それは、天地が生まれる以前から存在しています。それは、静寂として独自に存在しており、新しく変わるということもなく、あまねく全てに浸透して存在しています。それは、この世界の宇宙を生み出した大いなる「母」と呼ぶべき存在です。しかし私達は、その正体を知ることができません。だから私は、この存在を「道」と名づけます。さらにどうしても名づけるならば「大」とでも言いましょう。この大いなる存在は、どこまでも拡大していきます。拡大していけば、どこまでも遠くに達します。そして、本当のはるか遠くに達しきれば、また縮小して戻ってきます。だから、道は大であります。天も大であります。地も大であり、人間も大であります。この世には四つの大いなる存在があります。人間もその重要な一つを占めています。人間は、大地に沿って存在します。大地は、天に沿って存在します。その天は、道に沿って存在します。道は、自然のあるがままに沿って存在しています。』

この『柔訳』の内容について、谷川さんは次のように解説しています。

『二千五百年以上前に生きた老子が、現代宇宙学における宇宙誕生の仮説である「ビッグバン」を描写して説明しています。つまり、現代、しかもこの半世紀に生まれた人間にしか、老子の言っている内容は理解できなかったということです。「無限に拡大して、達しきれば縮小に転ずる」大昔の人間は、このような表現をどう思ったのでしょうか？　もしかして、老子が現代社会を標準として、その言葉を残したとするならば、大きなドラマを感じます。しかし、どの時代の人間が読みましても、これは今の時代だ、自分のことを言っている、と思える奥深さと大いなる普遍性が老子の言葉にはあります。』

老子が「宇宙の始まり」の様子を洞察していたとは考えにくいのですが、このように新しい観点で物事を見つめ直すと、違ったモノの見方ができるのだなぁと改めて考えさせられました。谷川さんの『柔訳』のように柔軟な頭で課題に取り組んだり、判断したりすることも重要なことなのではないでしょうか。

プラシーボ効果

アメリカで、コカコーラとペプシコーラの味を判断する実験が行われました。参加者はそれぞれのコーラをグラス一杯ずつ入れたものを闇の中で、つまり商標が見えない状態で味わうように言われました。その結果、大多数の人は、ためらいなく、ペプシの方がおいしいと言いました。それなのに、商標が見えているときには、ほとんどの人が評価を変えて、コカコーラの方がおいしいと言ったのです。商標は好みによる感知を凌駕し、場合によっては好みを決めるカギにさえなるということがわかっています。

カリフォルニア工科大学のアントニオ・ランゲル達のグループは、ワインの品質と評価に関する実験を行いました。自称ワイン通の20人に品質と値段の異なる5種類のシャブリを試飲し、飲んでいるワインの味とおいしさについて、慎重に評価するように伝えました。被験者たちがワインの味見をしている間、目の前のスクリーンには、5種類のワインの値段が表示されています。実は、試飲しているワインは3種類で、その中の2種類は違う値段がついて、二つのグラスに注がれているのでした。当然、被験者たちはそのことを知りません。一番目のワインは、実際の値段である90ドルと10ドルの値段でグラスに入っていました。二番目のワインは、実際の値段の5ドルと大幅に高い45ドルで提供されていました。三番目のワインは、本来の値段である35ドルで出されていました。

このワインの実験の場合では、予想どおり、最も高い値段を付けたワインが一番おいしいと評価されました。それだけではなく、5ドルのワインを45ドルという偽の値段で飲んだ時の方が、5ドルという実際の値段で試飲した時よりもずっとおいしかったと、試飲者たちは断言したのでした。脳の中で、味や匂いが生み出す快感に密接に結びついた内側面前頭葉眼窩面皮質が、同じワインでも高い値段で試飲するときのほうが、明らかに活動的になるからこのようなことが起こるのです。より高価なワインは、脳のこの部位の活動を操作しながら、その味が引き出す快感を実際に高めているかのようです。この認知プロセスは、「プラシーボ効果」のプロセスと同じものであろうと、ランゲル達は考えています。要するに、ワインは高ければいいわけで、高級なワインでなければいけない、というわけではないということです。

この結果は、数百人のビールの愛飲家を対象にした実験でも明らかになっていて、あるビールが好きかどうかは、何よりも商標で決まるという結果が出ています。試飲会で、他の五つのブランドを加えた中から自分の好みのビールを見分けることになったとき、成功したのは一握りの人々でしかありませんでした。商標という「ハロー効果」がなければ、自分の好みを認識するのも楽ではないということです。

商標名や値段によって、私たちは日常的に錯覚して判断していることがあります。ワインやビールのように、それによってご機嫌になれるなら錯覚もよいのではないかと思います。しかしながら、「この会社なら大丈夫だ」などと会社名で判断して、実際は担当者が悪くて痛い目に遭ったという経験がある人も多いと思います。仕事の上では、会社名や肩書などに惑わされることなく、正しい判断や管理で業務を遂行する必要があります。

森林浴の効果

森林浴という言葉は、皆さん聞いたことがあると思います。森林浴とは、1982年に林野庁が森林の持つ保健休養機能の一つとして、「森林環境の自然が彩なす風景や香り、音色や肌触りなど、森林生態系の生命や生命力などに対して、五感を通じて感ずることによって、人々の心と身体の健康回復・維持・増進を図ること」と定義してのち、一般的に広まった言葉です。1980年代にはブームになりましたが、森林に行くと何となく気持ちがいいことは分かっても、当時はその効果を客観的に確認することが難しく、実感が得られにくかったようで、その後しばらくしてブームが去ってしまい、あまり聞かれない言葉になってしまいました。しかし、最近になって、森林浴が再び見直されるようになりました。

森林浴が再び世の注目を浴びるようになった背景には、まず、都市に暮らす人々にとって、日々増大する様々な社会的ストレスにどのように対応していくのか、あるいは超高齢者社会を迎え、着実に増加する国民医療費を抑制しながら、増える高齢者の健康をどうやって維持・管理していくのかといった社会的問題に対応していくために、森林に対しても心身の健康回復の場等としての期待が高まってきたという経緯があります。このような背景を受けて、今世紀になると科学的アプローチによる「森林セラピー」の研究が行われるようになり、森林浴には、リラックス効果や気分の改善効果などの心理的効果があることが、かなりの程度明らかにされています。

　また、科学的な研究と並行して、一部の研究者や医師、保健師などの間では、森林浴を実践的に活用しようと試みる臨床的な実践が積み重ねられています。これは主に「森林療法」と言われる新しい用法で、具体的には、森林の中で未病の健常者や精神科の患者、障がい者などを対象に、森林内でカウンセリングを行ったり、簡単な軽作業で身体を動かしたり、レクリエーションを行ったり、倒木やベンチで休養するなど、複数の活動を組み合わせて実施することで療法的な効果を得ることを目的としています。

　一方、森林浴を本格的に地域の医療費の削減のための手段として考え、本気で取り組んでいる地域があります。北海道の中頓別町は人口約2200人の小さな自治体ですが、当地にある健康保険病院の内科医であった住友和弘医師を中心としたNPO法人北海道森林療法研究会が、町民を対象に、日常的に運動不足やイライラなどのストレスがある人達に対して、一緒に森林を歩いてみることを提言しています。それと並行して健康講話の活動を行った結果、参加者の健康づくりに対する意識が高まり、血行の改善が見られるようになってきたという報告があります。町の規模を考えると、さらに森林療法に参加する人が増加し、町民の健康づくりに対する意識が高まることで、今後、実際に地域医療費の削減につなげていけると考えられています。

　森林浴の身体的・心理的効果に関するエビデンスが蓄積し、癒やし効果の存在が明確になるにつれ、森林の恵みを都市の公共環境に持ち込もうとする取り組みも始まっています。大阪富国生命ビル内の「フコク生命《いのち》の森」では、地下2階から地上4階までの高さ26m、面積

700㎡のガラス壁面に森の画像をはめ込んだフォレストウォールが見渡せます。そこでは、音や匂いも森の成分を使用し、あたかも実際に森にいるような気分にさせてくれる空間が演出されています。

14

学会活動

性能設計

先週の金曜日に、土木学会で「性能設計推進のための設計審査体制に関するシンポジウム」を開催しました。これは、構造工学委員会の中にあった「性能設計推進のための審査体制検討小委員会」の活動報告を兼ねたシンポジウムです。私は、その小委員会の発起人であり、幹事を務めていましたので、私にとって、2年半ほどの活動の締めくくりのイベントでした。

設計の品質を確保するためには、第三者による設計審査が必要であり、その体制案を提案して、今後の議論のタタキ台にしようというのが目的の委員会でした。活動期間中には、姉歯事件が起きて、建築の方では設計を第三者がダブルで審査する、いわゆるピアチェックが義務付けられるようになりました。このような機運の中で、土木分野はというと、総合評価方式の議論は盛んですが、実際に構造物を造る部分において設計品質をどのような仕組みで確保するのかという肝心の議論が全くなされていません。国交省内でも検討はしているのですが、表にはなかなか出てこないし、我々の委員会にも国交省の人は及び腰でした。事は、国交省の問題ではなくて、全国２０００を超える地方自治体において、技術職員が不足している中で、どのように設計品質を確保するのかという重大な問題なのです。現状では、設計者の自由裁量に任せる設計（アプローチAと呼ばれています）には対応できるはずもなく、現行基準に従った設計（アプローチB）をしたとしても、その品質が確保できない状態です。総合評価方式による発注を地方自治体に義務付ける以前に、設計の品質を確保する方策を検討し、実施する方が優先課題だと思います。

「性能設計、性能設計」と言っても、性能設計体系、設計審査体制、設計者保険、審査技術、保有性能評価技術などの環境が整っていないと、なかなか進んではいきません。検討すべき課題は色々あるのです。今回の委員会を通じて、特に設計コンサルタント会社の方々何人かと共通の認識を持つことができました。また、農業土木の先生方や農水省の方々は「性能設計」に関して非常に熱心で、シンポジウムにも来て頂きました。私の感じでは、国交省よりも早く、農水省の方が性能設計体系を実現していくように思われます。自分一人の力は小さいのですが、自分がやり始めないと誰もついてきてくれませんので、性能設計体系実現に向けて、同じ思いを持つ人達とともに、引き続き次の課題に取り組んでいこうと思っています。

論文集編集委員会

私は、今年の6月から『土木学会論文集』の編集委員をしています。投稿された論文に対して、担当委員を割り振り、その担当委員が3人の査読者を決めます。査読者から査読結果が送られてくると、修正意見に担当委員の意見を加えて、著者に返し、論文を修正してもらい、論文が登載レベルに達したら、登載の判断をするという手順です。査読者の意見に従って機械的に作業をすれば良いと、気軽に引き受けたのですが、実際はかなり大変な作業です。まず、査読者の評価がばらつくことが結構あります。その場合は、担当委員が論文を熟読して内容を完全に理解し、どのような処置をするかを決めなければなりません。査読者は結構厳しい表現で意見を述べていることが多いのですが、そのままの文章を著者には返せないので、主旨が正確に伝わり、かつ穏やかな表現に書き直して、修正依頼文を作ります。また、論文集に掲載するレベルに達することができないものなどは返却しますが、その際の返却文の表現にもかなり気を遣います。論文内容を正確に把握していないと返却文は書けません。『土木学会論文集』の２００７年の返却率は33％でした。

私が担当している部門では、８人の委員が２００７年には72編の論文を取り扱っています。一人当たり年間９編に対応していることになりますが、投稿から登載の平均期間が11カ月で、その間修正などの対応をしていますので、常に９編近い論文の対応をしていることになります。９月からの２カ月は論文賞と論文奨励賞の推薦論文を決める時期なので、定常作業の他に15編の論文の順位づけを行いました。これもしっかり論文を読んで評価しないとできない作業です。その他に企画論文（招待論文）を年間1編担当します。さらに、他の委員が担当している論文についてもどういう処置をするかを議論するので、ある程度論文を読んでおく必要があります。ということで、９月から2カ月間で、18編の論文を熟読し、12編の論文をざっと読むことになりました。こんな密度で論文を読んだのは初めての経験でした。

作業は大変なのですが、良いこともあります。論文賞に推薦する論文を選定しているときですが、非常に素晴らしい論文に出会いました。その論文を読んだときには、少し大げさかもしれませんが、ちょっとした感動を覚えました。そして、こんな論文を書きたいなとも思いました。その論文は、委員全員が1位を付けた突出したレベルの論文でした。また、日常業務や自分の専門分野とは違う内容の論文がほとんどなので、視野が広がるという点で非常に勉強になります。世の中でどのような実務や研究が行われているかを知ることができます。

論文編集委員会を通じて貴重な情報を得ているので、実は設計部や本部の皆さんに何か還元したいと考えているところです。役に立ちそうな論文を関係者に配布するというのは当たり前のことで、既に実施していますが、それ以外に、論文を読み慣れてもらうために、少人数の「論文勉強会」を開催してはどうかと考えています。ただし、参加者の負担にならない程度に効率よく実施する勉強会にする必要があります。現在考え中なので、しばらくお待ちください。

論文を読むことや書くことに慣れることは、プロフェッショナルとしての技術力アップに直結しますし、技術提案書や検討書の質をレベルアップさせることにも効果があると考えています。

土木学会全国大会

先々週は、福岡大学で土木学会の全国大会がありました。全国大会の中心行事は年次学術講演会ですから、もちろん研究などの発表がメインイベントですが、多くの人が集まる機会なので、各種委員会が同じ期間に開催されます。私は、委員会への参加や打ち合わせで時間を使い、今回はセッションへ顔を出せませんでした。研究討論会へは二つ参加しました。自分が関わっている構造工学委員会のものとコンクリート委員会のものです。

先週、ある建設会社の技術研究所の人に聞いたら、昨年から社長が「土木学会全国大会にたくさん発表しろ」と号令をかけたために、発表件数が急に多くなったそうです。その会社の社長は建築出身の人ですが、日本建築学会の全国大会での発表はそれなりに意味があるらしく（論文としてカウントしてもらえるとか？）、どうもそんな日本建築学会の意識があるからかもしれないと言っていました。そして、無理に発表した人たちの時間や金は無駄になっているとぼやいていました。

私は、土木学会の全国大会は、若手技術者が自分の仕事の成果を発表したり、他の人の発表に質問したりする良い機会だと思っています。まだ部の実施計画には盛り込んでいませんが、20代、30代の人には、毎年土木学会の全国大会で発表してもらおうと考えています。年講の原稿は、論文としてカウントされないので、いくつかをまとめて『土木学会論文集』に投稿することもできます。既発表とはならないのです。また、40代以上の人には、3年に1編程度の割合で、『土木学会論文集』に投稿してもらいたいと考えています。こちらは計画的に取り組まないと難しく、ハードルも高いと思いますが、チャレンジする価値は大いにあります。

全国大会は色々な人が集まる場ですから、その機会を有効に使うことが必要です。本部長が委員長をされている建設技術研究委員会の研究討論会の案内が社内で事前に回っていました。もちろん動員ではありませんでしたが、それでも何人かの人たちは「顔を出さなければいけないから」と参加しているようでした。折角の機会ですから、自分の判断で技術者として最も効果のある行動をとってほしいと思います。本部長の研究討論会の内容に一番興味があると思えば、もちろん参加すれば良いのです。私は、本部長の研究討論会と同時に開催されたコンクリート委員会の研究討論会の方に1時間出て、その後は土木構造物標準示方書策定委員会に出席し、議事録を書いていました。交流会も何とか出ようと思っていましたが、結局先生方を夕食にお誘いする方を優先させました。

社内でも「言われたから対応する」ということは減ってきていると感じていますが、自分で考えて行動しないと前述の会社の発表件数増加のような意味のない行動をしてしまいます。今回の土木学会全国大会を通じて、そんなことが気になりました。

土木学会共通示方書

先日、社外委員会という観点を中心に皆さんと面談しましたが、私がやっている社外委員会に関する状況を紹介しましょう。設計技術者を取り巻く動向として「性能規定化」と「国際標準化」の二つがあることは、以前このWeekly Mailでも説明しました。この性能規定化を達成するためには、性能設計体系の確立が必要となるので、各方面で検討が進んでいるのですが、なかなか組織だった活動になっていなくて、部分的な対応が多いのが実情です。

土木学会では、3年ほど前から、『土木構造物標準示方書』を策定するための作業が行われており、本年8月頃に発刊し、9月には講習会をする運びとなりました。この標準示方書の名前は最近『土木構造物共通示方書』に変更されましたが、内容は、契約・責任技術者・構造計画などの基本的な事項を規定する「共通編」と、作用・荷重の設定に関する事項を規定する「作用・荷重編」とに分けられています。作用・荷重編の作成作業に私は関わっています。

この委員会活動を通じて、私は「性能設計体系」の整備について一つのヒントを得ました。それは、「性能設計体系」を「土木学会の標準示方書」という形で整備できるのではないかということです。どのような標準示方書が整備されれば良いかというと、まず、性能設計体系の前提や全体の枠組みを示す「共通編」が必要です。これは、今回発刊される「共通編」をベースにして、どんどん肉付けしていけば良いと思います。あと何が必要かというと、設計業務を思い浮かべてもらえばわかりますが、荷重の設定、構造解析による応答値の算定、耐力などの抵抗値の算定、性能照査、に関するものです。即ち、「作用・荷重編」、「解析編」、「耐力編」、「性能照査編」となります。これらのうち、今回「作用・荷重編」が策定されたので、今後はこれをバージョンアップしていくことで「作用・荷重編」は目処がつきました。「解析編」とは、断面力や変位などの応答値の算定方法を示すもので、解析プログラムの品質を確保したり、国際的に保証したりする上でも役に立つものになると思います。「耐力編」には、既刊の

『コンクリート標準示方書』、『鋼・合成構造標準示方書』、『複合構造標準示方書』が相当します。これらの標準示方書では、性能照査方法も規定されていますが、「国際標準化」で要求されている『性能水準を定量的に規定すること』には対応できていません。そこで、「国際標準化」に対応した「性能照査編」が必要となります。設計業務に関連したこれらの標準示方書の他に「施工編」が必要になります。そこでは、要求された性能が実現されていることを施工段階あるいは完成後に検査する方法が規定されることになります。

ここ3年程の活動で、「共通編」と「作用・荷重編」が形になりました。「耐力編」は既にありますし、「解析編」も形はないものの既に実務で使われているものを整理するような作業なので、やる気になればさほど労力をかけなくても作成できるでしょう。となると「性能照査編」の標準示方書を何としてでも形にする必要があります。「作用・荷重編」の目処がついたので、認定プロとしての私の次なる使命は、この「性能照査編」を発刊することだということが見えてきました。まずは、「性能照査編」を策定するための委員会を立ち上げることになりますが、どの先生に委員長になっていただくかを現在考えているところです。

社外委員会活動

設計部では、自分の専門分野を定めて、その分野のプロフェッショナルを目指して、活動していこうとしています。その活動の一つに、土木学会などの社外委員会があります。理想を言えば、自分の専門分野を今後引っ張っていくであろう若手の先生に狙いを定めて、その先生が最も大事にしている委員会に入り込み、最初は連絡業務などの雑務を一手に引き受けて名前を売っていくというところから始めるのが良いと思っています。しかしながら、各自の専門分野に合致した、そのような先生＋委員会は、なかなか見つからないのが実情で、学会の委員会設立の裏情報をできるだけ入手して、皆さんに是非とも自分の専門分野に合致した社外委員会に参加していただきたいと思っています。

会社の仕事だけで、目一杯なのに、それ以外の社外委員会などには対応する余裕がないと思うかもしれません。しかしながら、やってみれば、そんな心配はいらないことがわかります。自分が専門分野に定めていることに関する委員会ですから、当然内容は興味があることですし、その分野の専門の先生方やその分野に興味を持つ人々と話ができて、人脈ができることは、非常に楽しいことです。逆に、専門分野とは無関係に、前任者から引き継ぐ委員会や他社との持ち回りで引き受ける委員会などは、いやいや参加することになり、これはまさに時間の無駄になります。このような持ち回りのような委員会については、設計部は基本的に参加しないことにしています。そのような中身のないことに使う時間的な余裕はないからです。

これに対して、同じ時間を使うことになるのですが、自分の専門分野に関する委員会で、興味が持てる活動内容のものだと、メリットの方がはるかに多く、時間の無駄にはなりません。時間の話をしますと、人間はやる気を出すと2倍、3倍の仕事ができると言われています。興味のある社外活動をすると、会社の仕事も効率的にこなそうとするし、その質まで高まっていきます。これは一見信じ難いかもしれませんが本当の話です。また、メリットで一番大きいのは人脈です。別に、自分がその分野である程度の功績を挙げている必要はありません。30歳代の人なら、まず、連絡幹事になって、委員会の連絡、議事録作成、HPの更新などの事務的な作業をするところから始めるのが良いと思います。それによって、名前を覚えてもらえます。委員会後の懇親会の段取りなどもでき、キーパーソンとの親密度がますます増していきます。そういう活動が10年、20年続いていくと、先生と一緒に論文を書いたり、その分野の第一人者となった先生方と気楽に情報交換したり、お世話になったりできるようになります。

私は平成に入ってまもなく34歳の時に、土木学会構造工学委員会の構造物安全性連絡小委員会の幹事になったのが初めで、それ以来ずっと構造工学委員会を中心に委員会活動をしています。平成6年からは、出来合いの委員会ではなくて、私が企画したいくつかの委員会を設立して活動してきました。その時々に自分のやりたいことがあるので、「この先生に委員長になって欲しい」と思う先生にお願いして委員長になってもらい、自分は幹事長のような役回りで、成果品の中身は自分の思うように決めて、先生方や役所の方、設計コンサル、発注者サイドの方々に、執筆を割り振って作業をしてもらうわけです。このようなことは、会社の仕事では決して出来ないことです。自分がやりたいことがあれば、学会の委員会を作って実現するというのは、一石何鳥にもなるとてもスマートな方法だと思っています。

先日、土木学会から『土木構造物共通示方書II』を発刊しましたが、私は編集幹事を引き受け、結構時間をとられました。これは、非常にお世話になっている先生から「宜しく頼みます」と言われたので、やむなく引き受け、主体的に関わったもので、私としては例外的に、自分の意志とは関係なく活動しました。この作業が終わったので、現在は、以前から考えていた新委員会を立ち上げようとしています。先週は、委員長と副委員長をお願いしたい先生２人に趣旨説明をして、その委員会の内容や委員構成について打ち合わせをしました。来年４月から活動を開始するこの新委員会については、また後日紹介しましょう。

土木学会の新委員会

先週、土木学会構造工学委員会で、「性能設計体系における安全性照査法研究小委員会」という新しい委員会の活動が承認されました。この委員会は私が企画・提案したもので、昨年秋頃に委員長と副委員長、コアの委員の方々に参画をお願いし、設立願いを構造工学委員長に提出して、質疑応答を経てこの度の最終説明でようやく承認され、活動できることになりました。

私は、自分で企画した委員会で活動することを基本にしていて、余程の事情がない限り、出来合いの他の委員会には参加しないことにしています。私の社外委員会の進め方というのは、自分でやりたいことがあると、新委員会を企画し、委員長も自分で依頼し、自分は幹事長になって委員の皆さんを誘導して、自分が目的としている成果品を完成させるという方法です。

会社の仕事だと、大学の先生や発注者側の方々に学術的な原稿を書いていただくことは難しいのですが、学会の委員会だと、そのような方々にも、分担して原稿を書いていただいたり、講演していただいたり、さらには一緒に論文を書いたりすることもできます。こちらが幹事役という立場で一緒に仕事をするので、大学の先生や発注者側の方々とも親密な関係になることができます。私がこのようなスキームで学会の委員会を最初に企画したのは1994年で、それ以降現在まで継続して、この方法で学会の委員会活動をやっています。

今回の新委員会の目指すところは、一言で言うと「部分係数の設定方法を規定する標準示方書を制定すること」です。既に私は目次も作っていて、もし1カ月時間をいただければ、ちゃんとした内容の標準示方書を書く自信はあります。成果品はその程度の作業で完成できるのですが、事はそれほど簡単には進行しません。まずは、委員会のメンバー、特に委員長に、私の考えていることを十分理解していただく必要があります。ともすると、大学の先生は議論を発散させる傾向がありますので、その辺のかじ取りが難しいのですが、このような委員会では、あまり成果をあせらずに、ある程度先生方に議論していただくことも必要になります。そのような考慮もあって、今回の委員会では「標準示方書やガイドラインを作成するための検討をすること」を目的にしています。

現在、設計基準類が確率論をベースにした内容に改訂されようとしています。別の言い方をすれば、設計基準類の歴史の中で、最も大きな変革期を迎えていると言えます。このような状況なので、私としては一日も早く「部分係数の設定方法を規定する標準示方書」を制定したいのですが、関係各位がそれぞれ納得するように進めていくことに恐らく2〜3年余分に時間がかかると思います。

先週、この委員会が承認された構造工学委員会の後に、運営小委員会の懇親会を行いました。その席で私が構想している土木学会の標準示方書体系の話を紹介して、コンクリート標準示方書は耐力側を規定するもの、共通示方書（作用・荷重）は荷重側を規定するもの、そしてこの新委員会では部分係数の設定方法を規定する標準示方書作成を目指した検討をする、という説明をしたところ、コンクリート委員会でコンクリート標準示方書の改訂作業などにずっと関わってきた先生から、私が描いている標準示方書体系に反論がありました。曰く、「コンクリート標準示方書は耐力側だけの内容ではない」という反論です。これに対して、私は「もちろん、耐力側ではない『ひび割れ幅の算定式』なども規定されていますが、見るべき内容は耐力側の規定だと思います。コンクリート標準示方書に作用・荷重は規定されていませんね。また、記述されている部分係数の根拠がありませんね。だから、それらをカバーする標準示方書を制定して、土木学会の標準示方書体系を整えていく必要があるのです」と説明しました。それ以上の反論はありませんでしたが、どうもコンクリート標準示方書と他の新参者の示方書とを同列に扱うことに不満があるような感じでした。このような先生方にも、ある程度納得していただきながら委員会を進めていく必要があるため、活動には時間がかかることを改めて感じた次第です。

Reputation Management

Reputation Management の重要性について考えさせられることがあります。一般的にマスコミは、建設業界に関して、悪いことを取り上げることが多く、立派なことをしているなどということは、ほとんどニュースにしてくれません。受身でいたら、そのような現状は変わりませんが、Reputation Management を活用して、建設業界に対する人々の認識を徐々に変えていきたいものです。そして、震災対応が注目されている今がそのチャンスであるのは言うまでもありません。

震災被害を受けた地域に自衛隊が行くと「ご苦労様です」「ありがとうございます」と感謝されるそうです。これに対して、同じように復旧支援のために建設会社が駆け付けると「人が苦労しているところに金儲けに来たのか」と言われたという話を聞きました。ご存じのように、東日本大震災において、建設会社は、いち早く交通路を復旧するために活動しましたし、被災した企業の早期復旧に向けても数々の支援を行っています。福島第一原子力発電所の事故にあたっては、放射能汚染物質の処理、汚染水貯蔵タンクの建設、原子炉建屋のカバーリングなど、市民が安心して暮らせる環境を取り戻すための数々の仕事をしているわけです。このような貢献については、一般の人々にもっと知ってもらう必要があると思います。たとえば、テレビコマーシャルで、福島第一も含めて、当社がやってきた震災対応を紹介することは、Reputation

Management の手段の一つでしょう。この時期だと、人々は理解してくれるはずです。私の友人（保険会社と不動産会社勤務）に、福島第一の話をすると、「誰がやっているのかなと思っていたけど、建設会社がやってるんだ」と認識を新たにした様子でした。一般の人々は、その程度の認識なのです。

土木学会の山本会長は、「（土木工学の）市民工学への回帰」ということをおっしゃっています。これを実現するためには、『教育』が最も重要であると考えています。土木学会には、調査研究部門として30近い委員会があり、教育に関する活動をしている小委員会を持っている委員会が多くあります。その小委員会の活動には、小中学生から一般の人々までを対象とした数々のメニューがありますが、残念ながら対象者数が少なすぎると思います。１００万人の現場見学会を実施していますが、系統だった教育・宣伝にはなっていないし、対象が１００万人のオーダーにとどまっています。

では「市民工学への回帰」『教育』のために何をするかですが、２種類の方法があると思います。一つは、防災・エネルギー・物流といった内容のビデオを作成し、義務教育の単元に加えてもらうことです。ビデオを見るだけでなく、ビデオに関連して、地元の土木施設を調べたり、見学したりすることも重要です。教師のための指導要領も併せて作成する必要があります。これらの作業は、土木学会本部が主体となってやります。もう一つは、支部が主体となって実施する内容ですが、出前講座や教材の一覧表（内容と講師）を作成し、自治体の教育委員会や商工会議所などに案内することです。これらの活動の内容は、ほとんど既に出来ているのですが、現状がどうかと言うと、それぞれの先生方にお任せして、ばらばらに、あるいは重複して活動している状態で、効率的な活動になっていません。土木学会が組織的に、このような『教育』に関する活動をすることは、建設業界にとってのReputation Managementだと思います。私も土木学会の教育に関する小委員会に関わっているので、関連する場面で、このようなことを言っています。

土木学会

1938年3月に土木学会は、「土木技術者の信条及び実践要項」を定めました。これが土木技術者の倫理規定の初めてのものだったと思います。その実践要項を紹介しましょう。

1 土木技術者は自己の専門的知識および経験をもって国家的ならびに公共的諸問題に対し積極的に社会に奉仕すべし。

2 土木技術者は学理、広報の研究に励み、進んでこの結果を公表し、以て技術界に貢献すべし。

3 土木技術者はいやしくも国家の発展国民の福利に背戻するが如き事業はこれを企図すべからず。

4　土木技術者はその関係する事業の性質上、特に公正を持し、清廉をとうとび、いやしくも社会の疑惑を招くが如き行為あるべからず。

5　土木技術者は工事の設計および施工につき、経費節約あるいはその他の事情にとらわれ、ために従業者ならびに公衆に危険を及ぼすが如きことなきを要す。

6　土木技術者は個人的利害のためにその信念を曲げ、あるいは技術者全般の名誉を失墜するが如き行為あるべからず。

7　土木技術者は自己の権威と正当なる価値を毀損せざるよう注意すべし。

8　土木技術者は自己の人格と知識経験とにより、確信ある技術の指導に努むべし。

9　土木技術者はその関係する事業に万一違法に属するものあるを認めたる時は、その匡正に努むべし。

10　土木技術者はその内容疑わしき事業に関係し、または自己の名義を使用せしむる等の事なきを要す。

11　土木技術者は施工に忠実にして事業者の期待に背かざらんことを要す。

現在の土木学会の倫理規定（1999年5月制定）を見ても、初めに『1．「美しい国土」、「安全にして安心できる生活」、「豊かな社会」をつくり、改善し、維持するためにその技術を活用し、品位と名誉を重んじ、知徳をもって社会に貢献する』とあり、「社会への奉仕・貢献が土木技術者の使命である」との認識は変化していないことがわかります。また1938年版の各条項を見ると、現在でも肝に銘じなければならない内容ばかりですので、皆さんも時々これらの条項を読み直して、自分自身や身の回りの人々の行動を審査していただきたいと思います。

1938年の土木学会会告を見ると「オリンピック大会調査委員会」が設置されていて、1940年の東京オリンピックの準備をしていたことがわかります。また、「防空施設研究委員会」や「地下構造物における鋼材節約調査委員会」という名前からは、世界大戦前夜の様子がうかがえます。会告には、出征する会員名が掲載されており、「出征中は会費免除の手続きをとる」旨が記載されています。

一方、「コンクリート調査委員会」、「鋼橋示方書調査委員会」、「杭の支持力公式調査委員会」、「文化映画委員会」、「会誌編集委員会」など、現在も引き続き活動している委員会の活動状況が報告されており、その歴史の長さを感じます。今から75年前ですが、土木学会会員数は6800人だったと記載されていますので、想像以上に学会活動は活発だったのではないかと思います。ちなみに、現在の土木学会の会員数は約3万9000人で、そのうち正会員数は約3万2000人です。

国際会議と土木学会

先週は、IALCCE 2014という国際会議が早稲田で開催され、参加しました。この会議は、構造物のライフサイクル・エンジニアリングをテーマにしているので、かなり幅広い内容の論文発表がありました。構造物の維持管理・更新事業は、先進各国では大きな課題となっています。その中で、計測結果を利用して構造物の安全性を確率論的に評価し、経済性を考慮して更新計画を定めていくといった研究が盛んに行われていて、私の専門分野の範疇ということもあり、発表を聴くのを楽しみにしていました。全ての会議に参加することはできませんでしたが、確率論や信頼性理論を使った研究のセッションに半日参加することができました。

今回の会議が幅広いテーマを扱った内容だったからかもしれませんが、新奇性のある研究が見当たらなかったことは残念でした。確率論に関するセッションを聴講しましたが、目新しい手法を開発したという内容の発表はありませんでした。また、質問は上辺だけのものばかりで、活発な議論はありませんでした。私が参加したセッションがたまたま、そのような雰囲気だったのかもしれませんが、少し拍子抜けしたような印象を受けました。私が国際会議で最初に発表したのは1987年でしたが、その頃は「誰もやっていない新しい解析手法を発表する」ということで、同じ分野の研究者たちが競い合っていました。そして、競争相手と討議したり、個人的に情報交換したりして、技術を高め合っていました。国際会議に参加する際には、事前に自分の研究に関係する論文を読んで、質問を準備していました。また関係する論文発表を聴くために発表ごとに部屋を渡り歩いてもいました。国際会議にはそういう活気がありました。今回は、自分が発表者ではありませんでしたので、自分自身に積極性がなかったこともありますが、全体的にのんびりした雰囲気の会議だったように感じました。私が最初に参加した国際会議でも著名なメンバーだったProfessor AngやProfessor Estevaが今回もお元気そうに来日されていたのには驚きました。

金曜日には、土木学会100周年記念式典に参加しました。私が土木学会の委員会に初めて参加したのは、1991年頃だったと思います。一番思い出に残っている委員会は、現在中央大学におられる佐藤尚次先生と一緒に設立した「建設事業における確率・統計的手法による意思決定研究小委員会」(1994~1998)です。当時は、実務で信頼性設計法を使うという発想はほとんどなかったので、もう少し幅を広げて確率論や統計学を有効に活用して意思決定をする事例を収集し、信頼性設計法の素地を醸成しようという試みでした。この時に、知り合った様々な分野の方々とはその後もずっとお付き合いさせていただいていて、私の貴重な人的ネットワークとなっています。その委員会以来、私の委員会活動は、自分で企画し、その内容に相応しい先生に委員長になっていただき、自分は幹事役で進めるというパターンを基本としています。このように自分が設立した委員会以外にも推薦を受けて参画した委員会がいくつかあります。私が参加した土木学会の委員会の活動期間を足し算すると50年間を超えていました。自分のやりたいことを実現する場を、土木学会は提供してくれます、というより自分で作ることができます。今まで、色々な方々と知己を得ることができ、多少なりとも社会に貢献できる成果を生み出すことができたのも、土木学会のお蔭だと思います。今後ももう少し土木学会の場を使わせていただき、新しい委員会を立ち上げたいと計画していますので、どうぞ宜しくお願いします。

15

個人的な出来事

Kobiさん

先週、スイスから２人のお客さんが来ました。そのうちの一人Reto Kobiさんは、23年前にＩＡＥＳＴＥの留学生として来日し、２カ月間当社の土木開発部でＬＮＧ地下タンク関係の研修を受けた人です。その時の世話係が私でした。ＩＡＥＳＴＥとは、International Association for the Exchange of Students for Technical Experienceの略称で、理工農学系学生のための国際インターンシップです。当時Kobiさんは23歳で、スイス工科大学（ＥＴＨ）の学生でした。また、スイスランキング№４の卓球の選手でもあり、スイスのナショナルチームのメンバーでした。２カ月の研修後、彼はもう２カ月間日本各地で開催された行事に参加し、多くの日本に関する情報や印象を得たようです。彼がチューリッヒへ戻った翌年に、私がミュンヘンで暮らすことになったので、彼を訪ねて一緒にスイスの山々を旅行したり、またミュンヘンに来てもらったりもしました。そんなKobiさんとは21年ぶりの再会でした。

会って話をすると色々な思い出がよみがえってきました。Kobiさんが田町界隈でトラベラーズ・チェックを紛失したけど、拾ってくれた人が近くの銀行に届けてくれたので、運よく戻ってきたことも思い出しました。また、私が忘れているようなことを彼は覚えていました。たとえば、当時「三田43森ビル」に職場がありましたが、「朝、体操をしていた」とか、「昼は弁当だった」とか。そこで、先週の土曜日に「三田43森ビル」に連れて行き、運よく中に入れたので、11階の昔の職場の入り口まで行きました。彼は感慨深そうに写真を撮っていました。中では、他の会社の人が仕事をしていましたが。

今回日本に到着して、初日に行ったのが渋谷だそうで、そのときのビデオを見せてもらいました。「スイスには、こんなに人がたくさんいるところはない」とのことで、非常に興味を持ったらしく、「また、渋谷へ行く」と言っていました。彼らは、スイスのAargauという州（Kanton）の交通局の職員ですが、その州は東京都の70％くらいの広さで人口は65万人程度、Kobiさんの住んでいる町の人口は３０００人だそうです。彼は、２頭の馬、５匹の猫、１匹の犬、数羽の鶏を飼っており、もちろん広い庭付きの家に住んでいます（ヨーロッパの一戸建ての家は、複数の家族がフロア毎に住んでいることが多いです）。また、年間４週間の有給休暇をきっちり取っているそうで、さらにクリスマス休暇は２週間あります。生活の様子や職場の様子を写した写真を見せてもらいましたが、私の生活とはかなり違うことを改めて感じ、羨ましく思いました。私がミュンヘンに3年程住んでいた時に感じたことは、「気候と食事以外は、ミュンヘンの生活の方が日本よりも全てレベルが高い」ということでした。社会の仕組み、街の仕組み、教育制度、余暇の過ごし方など、日本がまだまだ遅れていることを痛感させられました。ドイツ人が好んで使う言葉にGemütlichkeit（居心地の良さ）という言葉がありますが、この言葉がドイツ人の根っ子にあり、生活や人生をより良くしたり、楽しんだりしているように思います。

Kobiさんの話に戻しましょう。Kobiさんは、「今回の日本訪問は、私にとっては特別な旅行です。今までの人生の半分の時に訪問した日本を、同じ時間が過ぎた今、また体験するということ。そして、久しぶりの友人を訪ねる旅行であることが、他の旅行とは全く違うのです」と言います。21年前には、まだ赤ん坊だった私の娘とも会って、感慨深げでした。Kobiさんと一緒に来た同僚が「私の家には沢山部屋があるし、同じくらいの歳の娘が2人いるから、是非遊びに来なさい」と誘ってくれると、我が娘は本気になって「絶対行きます！」と約束をしていました。こうして、また、次の世代に人間関係が広がっていくのも面白いことです。

絵画鑑賞（その1）

趣味というほどではありませんが、私は絵画を観るのが好きで、時間があれば美術館へ行きます。近いところだとブリヂストン美術館と川村美術館がいいですね。もちろん、国立西洋美術館も時々行きます。先日は、日本ではほとんど知られていないデンマークのVilhelm Hammershoiの展覧会があり、西洋美術館へ行きましたが、人物の後ろ姿や部屋の中の様子を地味に描いた絵が多く、素人の私にはぱっとしない印象でした。でも、専門家に言わせるとその表現力は素晴らしいそうで、同じ時期に国立新東京美術館で開催していたピカソ展へ行くよりは、Hammershoi展の方がお勧めということでした。ピカソ展の方にも行きましたが、私の好きな「青の時代」の作品がほとんどなくて残念でした。ピカソも若い時は写実的な肖像画も描いていて、基本がしっかりとしていることがうかがえます。

画家の作風がだんだん変わっていく様子を見るのも面白いですね。横山大観の卒業制作の童子を描いた作品は圧巻ですが、年をとるにつれてどう見ても手抜きとしか思えないような絵が多くなっていると思います。それでも文化勲章を授与されるほどの功績があったことは、素人の私では理解できないところです。これに対して、東山魁夷は、作風はかなり変化したのですが、91歳で亡くなるまで、しっかりとした絵を描き続けていることには驚かされます。芸大在学中の22歳から2年程は、童画家東山新吉として児童雑誌の挿絵などを描いていた時期があり、その後の作風とは全く異なる絵を数多く描いています。東山魁夷に興味のある方は市川市の東山魁夷記念館をお勧めします。ピカソや東山魁夷などの芸術家が成長していく様子を知ることも絵画鑑賞の楽しみでもあります。私たち技術者の仕事の対象や専門分野の範囲などが変化していくことに似ているように感じます。

ドイツのミュンヘンには世界屈指の美術館と言われるアルテ・ピナコテークがあります。私が働いていたミュンヘン工科大学の建物はその筋向かいにあったので、昼食をその美術館のレストランで食べたりしていましたが、その後、ヨーロッパの著名な美術館も巡りましたが、私がじっくり西洋画を見るきっかけになったのがアルテ・ピナコテークでした。初めの頃、専門家に美術館の絵の説明をしていただき、それぞれの絵の奥深さを知り、新しい文化に触れたように感じました。ルネサンス期の宗教画に描かれている草花の一つ一つには意味があり、そのシンボルに関する分厚い本があるのには驚きました。ドイツの美術館は、平日は入場料を取りますが、休日は無料でした。確か大英博物館もそうだったと思います。日本だと休日の方が何でも値段が高くて当たり前のように思いますが、発想が逆なのに感心したことを思い出します。休日は皆が楽しめるようにという社会の仕組みがあるのは、羨ましいことでした。

東京近郊には、芸術の秋に触れられる場所がたくさんあります。私はここ15年くらいですが、毎年日展へ行っています。普段行かないところ、体験しないことに接して気分を変えるのもまたいいものだと思います。

夏季休暇

夏期休暇はリフレッシュできたでしょうか？　仕事の都合で出勤した人も何人かいましたが、それでもある程度は色々なことができたのではないかと思います。

私はというと、ずっと家におり、4回外出しただけです。家で何をしていたかといえば、『土木学会論文集』に載せる企画論文の修正と9月に参加する国際会議の発表準備が予定していた作業でしたが、それ以外にも『土木学会論文集』のメール審議や論文集再編関係の意見徴集など、平常とあまり変わらないくらいのメールのやり取りをしていました。論文集編集委員には出勤している人が多くて、1週間の夏期休暇を実施している会社は少ないことがわかりました。ついでに『土木学会論文集』のことを少しお知らせしておくと、現在AからGまで7部門に分割されている論文集が、２０１１年1月から19部門に再編されて発刊されるようになります。来年7月からは再編後の19部門の論文集に投稿することになります。その再編に向けて、現在、新しい論文集の名前やキーワードなどを決めている最中です。学会員への案内は9月号か10月号の『土木学会誌』に掲載されますので、確認しておいてください。

また会社関係では、新型インフルエンザ感染者に関する連絡と東海地震震源域付近で発生した地震に関する連絡がありました。新型インフルエンザに対しては、感染拡大を出来るだけ少なくするために、手洗いやうがいの励行など自分の出来ることをするしかありませんね。静岡県付近で発生した地震は、東海地震を意識させるものでした。この地震と東海地震との関係はともかく、近いうちに必ず発生する東海地震への対策を改めて考えるきっかけになったのではないでしょうか。

それにしても台風8号による台湾高雄縣の被害は深刻ですね。先日のWeekly Mailで、以前台湾高雄縣で遭遇した大雨のことを紹介しましたが、その時の降雨量は3日で８００㎜程度だったそうです。このたびの大雨は1日２７００㎜という桁外れのものだったという報道があります。私は、この２７００㎜という数字は、実際は降り始めからの総雨量ではないかと疑っていますが（台湾では総雨量が２０００～３０００㎜という報道がありました）、それでもものすごい豪雨であったことに間違いありません。知本温泉のホテルが流される映像を、「前に泊まったホテルじゃないよな」などと思いながら見ていました。何でも山奥の村が土砂崩れ、土石流ですべて埋まってしまい、最新の報道では死者が１２５人、行方不明者が４９１人、孤立している人々が1700人にもなっているようです。隣国のこのような被害に対して、日本では例によってあまり報道されませんね。ローマ法王ベネディクト16世が、「私は洪水で被害に遭った台湾の人々や地震の被害にあった日本の人々のことを思っています」という発言をした映像を見ました。台湾の情報は合っていますが、日本の方は地震ではなくて、台風9号のもたらした豪雨による兵庫県佐用町近辺の洪水被害のことを言いたかったのでしょう。どこかで情報が間違ったものと思われます。よくあることです。昭和天皇が亡くなる3カ月ほど前にオーストリア放送で「日本の天皇が崩御」というニュースを見たことを思い出しました。酒井法子は台湾では、ドラマやコマーシャルにも出ていた超人気タレントですが、今回失踪中に台湾では、「酒井法子が摩周湖で投身自殺か?」というニュースが流れていました。

私の場合、普段はあまり観ないテレビを見る時間が多く、報道の信ぴょう性について改めて考えさせられる夏期休暇だったと言えそうです。

サッカーワールドカップ

サッカーのワールドカップが始まりました。今日はワールドカップにまつわる私の思い出話ですので、特に気楽に読んでください。私が、ワールドカップで思い出すのは、何といっても1986年のメキシコ大会です。その時、私は西ドイツのミュンヘンでゲーテ・インスティテュートというドイツ語学校に通っていました。クラスは違いましたが、同じ寮にいたライブ・ラシッドというアルジェリア人と親しくなり、二人でビアガーデンへ行ったり、買い物や洗濯、食事に行ったりして、殆ど一緒に行動していました。彼が中古のテレビを買っていたので、ワールドカップ開催中は、彼の部屋で毎日のように試合を観ていました。そう言えば、私は初め、マラドーナの名前を知らず、かなりびっくりされましたね。

実は、そのラシッド君は当時26歳で、アルジェリアのサッカー代表チームのフォワードで10番を付けていた選手でした。アルジェリアは、1986年のメキシコ大会で初めてワールドカップ出場を果たし、ラシッド君はもちろんワールドカップに出られたのですが、それを断念して、ドイツの大学で化学の博士号を取るために一念発起しドイツに来たのでした。「なぜサッカーを止めたんだ?」と聞くと、「アルジェリアではサッカーじゃ生活できないから」という説明でしたね。サッカーを止めたとはいえ、彼はミュンヘンのクラブチームに入り、週何回かは練習していました。「ドイツ人は当たりが強くて怪我をしたよ」とよくぼやいていました。

彼のところには、メキシコでワールドカップに出場しているチームメイトからも手紙が来ていて、嬉しそうに見せてくれました。アルジェリアの試合も当然ラシッド君とテレビ観戦しました。対戦相手国は忘れましたが、その時の主審が日本人で、日本人が初めてワールドカップで主審をした時だったと思います。ただ、日本人の主審は、私が見ても他の主審達とは何か違っていて、頼りない感じでした。その主審は、明らかな危険行為に対しても1枚もイエローカードを出さず、ドイツのテレビのアナウンサーが「この日本人(の審判)は何なんだ!」とあきれてものも言えないといった感じで、完全に馬鹿にした口ぶりだったのを覚えています。残念ながらアルジェリアはその試合に負けました。そのこともあって、ラシッド君も審判のパフォーマンスには大分不服だったようですが、私に気を遣ってか、言葉に出しては審判に対する文句を言いませんでした。

今回のワールドカップでは、開幕2試合目のウルグアイVSフランス戦で、日本人の主審が立派な審判をしたという新聞記事を読みましたが、サッカーそのものもワールドカップへ出場できる程に成長したし、日本人審判の能力も進歩してきたんだなと思います。

今回のワールドカップにアルジェリアが2度目の出場を果たしたと知り、「あれから24年経ったんだなぁ」としみじみ感じています。ラシッド君は、真面目だったから、ドイツで勉強して、アルジェリアの大学の先生か、化学会社の幹部にでもなっているのではないかと思います。彼も、おそらく今頃24年前にアルジェリアが初めてワールドカップに出場した時のことを思い出し、「あのときは西ドイツのミュンヘンで日本人と遊んでたなぁ」なんてことも懐かしんでいることでしょう。

おじさん3人の議論

先日、公的機関に在籍しておられたAさんと当社技研のBさん、そして私（Fとしましょう）の三人で会食をしました。Aさんとは15年程の付き合いで、私が土木学会部門F論文集の編集委員長をやっているときに、招待論文を書いていただいたりもしました。このたびは、Aさんから「海外プロジェクトにおいてISO9001がどのように活用されているか教えて欲しい」という要望もあったので、お会いすることになりました。

ISO9001の説明を一通り終えた後に、Aさんから「日本国内は仕事が減っているから、建設会社には海外へ出ていって欲しいですね」という発言がありました。これに対して、（F）「確かにいわゆる建設投資は減っていますが、環境やエネルギー関連といった建設業の周辺分野の市場は増加しているので、建設会社は周辺分野を視野に入れて仕事の幅を広げていかなければなりません」。（A）「建設会社には海外の仕事を増やしてもらって、国内の無駄な建設事業は止めて福祉に回して欲しいですね」。（F）「海外で仕事をする力のある建設会社はごくわずかで、殆どの会社は国内でしか仕事ができないのが現状です」。（B）「建設会社が海外事業へシフトすると、利益が減るので、当然税金も減っていきます。福祉に回す財源を生み出すのは内需拡大しかありません。建設業が海外にシフトするというのは逆ですね」。（A）「じゃあ、無駄な公共事業をどんどんやれというのですか？　これからの高齢化社会のためには福祉に予算を回すべきです」。（B）「税収確保のためには内需拡大が必要で、公共事業もその一方策です。それでは、Aさんに伺いますが、福祉の金はどこからもってくるのですか？」……。

議論はどんどん白熱していき、気がつけば3時間半が経過していました。ちょっとおしゃれなスペイン料理店のオープンスペースで、女性客が半分以上という状況でしたが、年配のおじさん3人が大きな声で議論している様子は場にそぐわず、周りのお客さんに迷惑をかけたことは間違いないと思います。

色々議論した後に、（F）「こういう議論は面白いですね。そう言えば、最近の若い人達も議論しているんですかね。会社ではほとんどお目にかからなくなりましたが」。（A）（B）「確かにそうですね」。

日本人は、自分の意見に対して、相手が違う意見を言うと、自分の意見を否定されたと捉える人が多く見られます。そんなこともあってか、面と向かっての議論が苦手のように思います。これに対して欧米人は、違う意見を言われても「二人の意見が違うことがわかった」と言って納得したり、「あなたの意見は良いポイントをついている」と認めて、自分の考えに取り入れて、自分の考えをよりよいものへとブラッシュアップしたりして、とにかく相手の意見を積極的に利用していきます。我々日本人も、色々な場面で自分の意見を表明したり、相手の意見に対して自分の意見を述べたりして、自分の考えをもう一段高いレベルに持っていく習慣をつけ、意見を戦わせる楽しさを味わうべきだと思います。

橋梁新聞

10日毎に発刊されている『橋梁新聞』という業界紙の1面に「リレー橋友録　私の橋歴書」

というコラムがあります。執筆者が知人にバトンタッチしていく形で昭和59年3月から続いていています。この度、首都高速道路の知人から依頼があり、私が724人目の執筆者となりました。折角書いたので、今回は、その原稿を紹介します。「台湾を愛する日本人」というタイトルで、明日3月1日の『橋梁新聞』に掲載されます。

昭和53年大学4年生になり、東京大学土木工学科交通研究室に配属になった。指導教授は松本嘉司先生（東京大学名誉教授）で、研究室の博士課程には角知憲さん（九州大学教授）と小長井一男さん（東京大学教授）、修士課程には宮木康幸さん（長岡技術科学大学教授）がおられ、直接的なご指導をいただいた。卒業論文のテーマは鋼橋の騒音対策で、振動・騒音測定や枕木交換などの現場作業も行うことができ、この時の体験が私の土木技術者としての原点になっている。修士論文では、東海道新幹線の高架橋下部で計測された加速度データを使って、逆解析で新幹線走行車両の入力スペクトルを求めることに挑戦した。

昭和56年清水建設に入社し、LNG（液化天然ガス）を貯蔵する地下タンクを設計する部署に配属になった。以来、今日に至るまで、LNGタンクとは長い付き合いをさせていただいている。平成3年からは、台湾でLNG地下タンクを建設するプロジェクトにEngineering Managerとして携わった。日本で設計図書を作成し、台湾に出張して説明するという繰り返しで、その後の台湾新幹線プロジェクトの時も含めて、台湾には60回行くことになる。

平成12年に台湾新幹線プロジェクトにDesign Managerとして赴任した。台南市に近い28・5㎞の工区で、951橋の高架橋を建設するプロジェクトだった。このプロジェクトの設計体制の特徴は、設計コンサルとは別の設計審査コンサルにも独立して設計をさせるという点にあった。この時の経験を生かし、帰国後土木学会で「性能設計推進のための審査体制検討小委員会」を立ち上げて、性能設計時代の設計審査体制を提案した。プロジェクト工期は46カ月だったが、実際の設計期間は2年半であった。この間に発行した図面は約4万枚、提出した設計図書はファイル3百冊、私がサインをしたレターは約6千通という膨大な量となった。そのような設計実務を遂行する他に、各種の会議や社外との調整業務が目白押しだった。八田與一さんが建設した烏山頭ダムを管轄する河川局に行った時、八田與一さんの話をすると大変な歓待を受け、改めて八田與一さんが台湾の人に非常に尊敬されていることを体感した。建設工事がほぼ終了した時期に、恩師の松本先生が現場を視察され、「綺麗なコンクリートだね」と言っていただいた時は、学生時代の恩返しが少しできたような気分になった。

台湾新幹線プロジェクト中には、様々な事件が起こった。設計コンサルが入居していたビルが全焼し、設計データが焼失したこと、台湾内でSARSが拡がり、移動が制限されたこと、下請業者の倒産が相次いだこと等々、カントリーリスクと言えるような出来事が頻発した。そのような苦労も絶えなかったが、一般の方々から「新幹線が開通するのを楽しみにしています。安全な物を造ってください」と言われることが何度かあり、その度に土木技術者としてのやる気が湧いた。平成19年1月に台湾新幹線が開通した時は感慨一入だった。台湾は非常に治安が良く、親日的な国であり、住み心地が良い。平成に入って仕事の多くを台湾で過ごし、私も八田與一さんのように「台湾を愛する日本人」になってきたように思う。

知人の出版

先日、OBのNさんが来られて、「Kさんが本を出したの知ってる?」と言われたので、びっくりして「いいえ知りません」と答えました。私がKさんに初めてお会いしたのは25年前で、当時デュッセルドルフ事務所の所長をされていました。35歳くらいだったと思います。デュッセルドルフ事務所には、日本人はKさん一人で、後はドイツ人が7~8人働いていたと思います。「Donnerstag(木曜日)には、KのDonner(かみなり)が落ちる」という冗談もあったように、ドイツ人スタッフには結構厳しいボスだったようです。事務所の所長室の壁にはヨーロッパの地図が貼ってあり、稼働中現場の位置にはピンが刺してありました。その地図を指さしながら、「次はここを攻めるんだ」という戦国武将のような話を聞いたことを懐かしく思い出します。Kさんはシュトゥットガルト大学卒で、奥さんはドイツ人ですから、ドイツ語はペラペラです。私がドイツに居た時は、家に泊めていただいたりして、非常にお世話になりました。その後も時々、ドイツの話や家族の話などをしていました。そしてKさんは半年ほど前に定年退職されました。そんな中で、Nさんから「バルチック艦隊との日本海海戦をロシア人の眼で書いた『対馬』という本をKさんが翻訳して日本で出版した。原本はドイツでは結構売れているそうだ」という話を聞いて、驚きました。早速その日、丸の内の丸善に行ってその本を探したのですが、今月発刊された本で、まだ入荷されておらず、取り寄せになるということでした。そこで、地元の図書館へ行って注文してきました。まだ、本を手にしていませんが、Kさんの違う一面に触れるのを楽しみにしているところです。

先週末、やはりOBで元設計部長のTさんにお会いした時に、「S君が本を出して送ってきた」という話を聞きました。40歳くらい以下の人は面識がないかもしれませんが、Sさんは昭和49年入社で、設計部のOBです。その時、Tさんがその本を持参されていたので、「Sさんの本を是非読みたいので、貸して下さい」とお願いして借りてきました。タイトルは『300年後の世界遺産』、副題は「夢　生きる目標と心と体の健康」という本ですが、私の記憶にあるSさんは「設計をきっちりやる人」というイメージでしたので、その本のタイトルとSさんとは全く結びつきません。そんなSさんの現在の全く違う一面を見られると思うと、これからその本を読むのが楽しみです。

最近このように、知人の出版に触れるという出来事が続き、「人それぞれ、色々な側面を持っているのだなぁ」と改めて感じた次第です。『人に言うほどじゃないけど、私はこんな事をやっている』ということを大事にしたいですね。

同窓会

1月の終わりに、大学の同期の新年会を仙台近郊の秋保温泉で開催しました。私は20年以上同期会幹事をやっています。通常は年2回東京で開催しているのですが、今回は私の発案で、被災地の状況視察を含んだ一泊の同期会としました。参加者は19名でした。

まず、宿泊先のホテルで、夕食前に、仙台在住の東北地方整備局の徳山局長とNEXCO東日本の三百田部長に震災復興状況の説明をしてもらいました。道路の交差点や料金所に設置されたカメラがとらえた津波の映像は公表されていない衝撃的なものばかりで、改めて津波の恐ろしさを認識しました。

夜は、2時間の宴会ですが、恒例の近況報告では、全員が震災に関連した話をし、各人勤め先は違っても、土木技術者として様々な立場で震災復旧・復興に関わっていることが分かりましたし、皆の話が熱を帯びていたのが印象的でした。そのため、皆さんの話が長くなって、宴会は近況報告だけで終わってしまいました。宴会後、2次会、3次会と続き、お開きになったのは1時でした。かなり酒の差し入れがありましたが、全て飲みほしたのには驚きました。「酒はあれば、なくなる」ということを改めて確認した次第です。様々な話をして非常に楽しい夜でした。立場によっては、なかなか自分の口から言えないこともあります。今回の震災では、たとえば、新幹線が一人のけが人も出さなかったことは特筆すべきことです。このことは時々報道されていましたね。しかし、「土木技術の進歩のお蔭で、阪神淡路大震災当時に比べて、約何名の人命を救えたと考えられる」とか、「復旧にあたって、〇〇建設はこのような仕事をした」などの、土木技術者の貢献ぶりが、わずかしか公表されていないことは非常に残念です。皆さん同じような思いのようで、単発的に言うのではなくて、同じ内容を組織的に公表していく方法を考えて実施していかなければならない、という話で一致しました。

翌日は、仙台港と石巻市内の被災状況、復興状況を視察しました。同期の中には、津波被害の調査をしていた人がいて、津波の状況などの話を聞くことができました。また、石巻のガレキ処分の事務所では、鹿島の人が詳しく説明してくれました。同期が20人程集まれば、幅広い範囲の事象を網羅できるようです。一方で、被災地を見るのが初めての人もいましたが、テレビの映像との違いを体感できたようです。

大学の土木工学科の同期ですと、ほとんど建設業で、日常的に付き合いがある人が多いので、新鮮味に欠けるところはあります。先週は、高校の同期会がありましたが、こちらの方は勤め先が多種に及んでいて、話が非常に新鮮で、面白いですね。仕事の上では、付き合いのない人が多いので、ともすれば話題は昔話が中心になり、何十年ぶりの新しい発見があったりして、これまた面白いものです。また昨年は中学の同期会もあり、一緒に山登りをしていたメンバーで、今年は山登りといきたいところですが、年齢も考えて、ハイキングに行くことになりました。

同窓会が面白い歳になってきたのでしょうか？

リフレッシュの秋

先日、中学校の同級生と総勢8人でハイキングをしました。中学3年の時に山歩きのグループを作り、それ以降高校時代にかけて、テントと食料、鍋や飯盒を背負って山を歩き、キャンプを楽しんでいました。その時の仲間がその8人です。皆、職業はばらばらで、日程調整が大変でしたが、なんとか全員そろうことができました。歳のことも考えて、中学の時に最初に登った御岳山に登ることにしました。40年ぶりに同じ仲間で登ることになり、感慨一入でした。ただし、中学の時は、御岳駅から山頂まで歩いて登りましたが、今回はバスとケーブルカーを利用して、殆ど山頂付近まで楽に登らせてもらいました。天気はあまり良くありませんでしたが、山の新鮮な空気を吸って心身ともにリフレッシュした気分になりました。中学の時に観察したかどうかは忘れましたが、御岳山には紅葉の木が沢山あることに気付き、「紅葉の頃は奇麗だろうな。また来ようかな」などと思いました。御岳神社でお参りした後、早々に下山してからは、電車で新宿へ行き、焼き鳥屋で時間を忘れて盛り上がりました。話をしているといつの間にか昔の延長線上のような感じになり、40年の歳月は直ぐになくなりました。同級生というのは不思議なものですね。

山々は色づき、各所で観光シーズンを迎えていますね。食欲の秋、スポーツの秋、芸術の秋など、心身をリフレッシュするには絶好の季節です。「どこかへ行きたい気持ちはあるのだけど、仕事が忙しくて身体がくたくたで、休める時は家で寝ていたい」と思っている人も多いでしょう。しかし、そんな時こそちょっと頑張って時間を作り、普段の生活とは全く違うことをやるとか、文化や自然に触れてみるとかすると、心身に活力が湧いてきます。

泊まりがけでどこかへ行きたいけど、なかなか時間がとれないという状況もありますね。あまり時間がとれないときでも、東京には気分転換できる様々な場所があります。銀杏並木が奇麗な散歩道などもあります。私は、絵画鑑賞が好きなので、国立新美術館で開催している「リヒテンシュタイン展」と東京都美術館で開催している「メトロポリタン美術館展」へ行こうと思っています。皆さんも、多忙な時こそ、なんとか時間を作って、この秋の季節を楽しんでいただきたいと思います。

絵画鑑賞（その2）

絵画鑑賞が好きなので、時々美術館へ出かけます。好きな絵は色々ありますが、画家の中ではラファエロとエル・グレコが好きですね。そして何と今年はその二人の画家の絵を日本で観られるという幸運に恵まれています。「エル・グレコ展」は現在東京都美術館で開催中であり、「ラファエロ展」は3月2日から西洋美術館で開催されます。

エル・グレコはクレタ島生まれのギリシャ人ですが、ベラスケスやゴヤと並ぶスペイン3大画家の一人で、日本で言うと徳川家康と同じ頃に活躍していました。エル・グレコの描く絵の構図や色遣いの奇抜さは、当時の絵画の中では画期的だったと思います。マドリッドのプラド美術館で初めて観た数々のエル・グレコの作品は私に強い印象を与えました。私がエル・グレコの絵画に惹かれるのは、描かれている人物の感情が表情やしぐさの中にうまく描かれているからだと思います。それまでの絵画では、人物の表情はほとんど表現されずに客観的に描かれているように感じます。そのような時代にあって、エル・グレコは優しさ、悲しみ、苦悩といった感情を絵画の中の人物の表情やしぐさを通してうまく表現しています。磔刑のキリストは俯いて描かれるのが常でしたが、エル・グレコは天を仰ぎ見るようなキリストを描いています。私がラファエロに惹かれるのも同様で、母親の愛情を醸し出すマリアの表情はそれまでの絵画ではあまり目にしなかったと思います。このような国宝とも言える絵画を日本で観ることができるのですから、今年は二度と訪れないかもしれない画期的な年と言えます。ただ、エル・グレコの祭壇画は、日本ではなくてやはり掲げられている教会で鑑賞したいですね。

私は常々、プロの画家には画家自身が描きたい絵を描くのではなくて、絵画を鑑賞する人々の心を打つような絵を描いて欲しいと思っています。それは、土木技術者が「人々が安全に安心して生活や事業活動ができる環境を提供する」という使命を持っていることと似ています。絵を描く技巧が優れた絵よりも、私は心に響く絵に触れたいと思います。昨年、国立新美術館で日展を見ましたが、何百と展示されている絵の中で心に響く絵は数点しかありませんでした。まあ、これは素人の私が勝手に考えていることで、芸術家と言われるような人々には、「観る人に感動を与える」ことを第一に考えるのではなくて、「自分が描きたいものを描く」「他の画家よりも優れた技術力を発揮する」という考え方を持つ人が多いのかもしれません。

一昨日、若手日本人画家の個展を観てきました。その画家はドイツ在住ですが、今月一時帰国して吉祥寺で個展を開催しています。数年前から日本で開催されるその画家の個展には必ず行き、成長の様子を見るのを楽しみにしています。今回の展示作品を見ると、以前よりは堅苦しくない感じがしたので、気楽に絵を描けるようになってきたのではないかと思いました。ただ、絵のテーマとして何を選択するかといったところが恐らく課題で、まだまだ観る人の心を動かすようなレベルには程遠いように感じました。今後も色々な経験を積んで、プロの画家を目指して精進していって欲しいと思います。実は何を隠そうその画家とは私の娘であります。個展は2月24日㈰まで開催しています。興味のある方には場所を教えますので、覗いてみてください。

森郁恵先生

先週、名古屋大学の理学研究科の森郁恵教授とお話しする機会がありましたので、その時に伺った話や感じたことなどを紹介します。

森先生は、生命科学の分野では日本の第一人者の研究者で、２００６年には自然科学分野で最も実績を挙げた女性科学者に贈られる「猿橋賞」を受賞、また本年4月には「行動を規定する神経回路の分子神経生物学」で「時実利彦記念賞」を受賞されました。英国のサセックス大学大学院を経て米国ワシントン大学でPhDを取得し、九州大学で9年間勤務した後に、現在の名古屋大学で分子神経生物学グループを15年間主宰しておられます。

お話を伺っていると、アメリカでPhDを取得するまでに色々な苦労をされたことや、帰国してからは、男性社会の中で一流の研究者として認められるようになるために努力してきたことなどが言葉の端々に感じられました。中学校から大学までソフトボールで心身ともに鍛えた素養があることが、一本筋の通った研究をやり続けてきた原動力になっているように思いました。森先生とお話をしていると、私の話もしっかりと聞いて下さった上で的確に応答されるし、自説を力説するようなタイプではなく、とても話しやすい方なので、どんどん話が発展していきました。最近は、このようなわくわくする会話が減っていたので、とても刺激的でした。

森先生の研究は線虫を使ったものが多いのですが、たとえば、「DNAが全く同じ線虫に対して、気温変動などの同じ環境変化を与えても線虫が違う行動をすることがある」という話からは工学分野でも研究されている「ゆらぎ」やfuzzyの話に発展しましたし、学問の進歩の話の中では自然科学と哲学の共通部分や音楽の平均律などについても議論しました。「女性研究者として一人前になること」については様々な困難があるようです。就職先を見つけるに際しても男性に比べるとまだまだ不利な状況だと言います。森先生が米国でPhDを取得後、日本での就職先を探している時に、たまたま九州大学で「線虫の扱いの経験がある助手」を募集していたので、それに応募したことが現在につながっているとのことでした。

最近の学生や若手研究者には、科学者としての貪欲さが見られない、成功例や成功した人ばかりを見ていて自分も自然にそうなる（成功する）と勘違いしている人も見受けられると嘆いておられました。競争の激しい米国で認められ、女性科学者の居場所の少ない日本で一流科学者として認められるようになるまでには、平均的な男性科学者の何倍もの努力が必要だったことは想像に難くありません。そんな森先生から発せられる言葉からは、日本の科学技術の発展への懸念や女性科学者の育成への不安が感じられました。

水野さん、家田さん、野島さん

先週、中部電力の水野明久社長の講演を聴く機会がありました。計画交通研究会という集まりがあり、現会長の家田仁先生が、研究室の先輩である水野社長に講演を依頼し、実現したものです。私は以前、計画交通研究会の監事をしていたので、このような講演会や見学会がある時は、できるだけ参加するようにしていますし、この度は、エネルギー問題に対する中部電力の取り組みについて、水野社長から直接話を伺えるということで、楽しみにしていました。また、水野社長と家田先生は、私と同じ交通研究室の先輩でもあります。

水野社長の講演は、1時間あまりでしたが、終始力強い語り口で、45枚のスライドそれぞれに対して内容を熟知し、的確に説明を加えておられて、感心しました。自分自身でプレゼンテーションの内容を決めて、スライドも作成されたのではないかと思います。話の所々で、「電力会社の使命は、皆様に安定して電力を供給することに尽きる」と説明され、プレゼの最後には「現場で働いている社員は皆、その使命を達成することに集中して仕事をしているのです」と締めくくられました。このようなリーダーの発言は、社員のやる気を鼓舞する言葉になるだろうと思いました。

「安全性には絶対はないので、事故が起こる確率をゼロにすることはできないし、安全性と経済性のバランスを考慮して、原子力発電施設の安全性水準を定めることが合理的である」というのは、工学者の間では理解できる理屈ですが、世の中の人々全てにこのような考え方ができるわけではありません。水野社長も「原子力発電所は絶対に安全だという説明をしたことはないのに、いつの間にか安全神話のようなものができてしまった」としみじみ語っておられました。2011年5月に当時の菅直人首相から浜岡原発の停止を強く要請された際に、何の技術的な根拠もなく、法的な強制力もないこの要請を受諾した背景には「浜岡原発を誰が見ても安全な原発にしてやろうじゃないか」という強い決意があったということがうかがえました。それを実現するために、中部電力は三重四重の安全対策を実施しています。津波対策について言うと、一般構造物では、レベル1津波に対しては強固な構造物などのハード対策で安全性を確保し、レベル2津波に対しては避難などのソフト対策により人命を確保するという考え方ですが、原子力発電所では、レベル2津波に対しても防潮堤などの構造物で抵抗し、さらにレベル

2津波を超える津波に対しても浸水しない施設を造るという考え方になっています。浜岡原発では、まさに三重四重の防水扉や電源を確保するための施設が施工されています。水野社長は工学のバックグラウンドがある技術者らしく「とてつもなく小さい確率の事象に対しても対策を施している」という説明を何度かされました。

水野社長の講演の後、家田先生を交えて数人で食事をしながら歓談をしました。家田先生は、津波で被災した地域の高台移転や放射能汚染物質を中間貯蔵施設に輸送する計画にも関わっておられて、交通計画分野の第一人者です。家田先生と話している時、ふと店にあるテレビに目をやると、ＪＲ北海道の野島誠社長が謝罪している場面が映し出されました。私と野島社長とは大学の同級生で研究室も同じ友人です。7年前に当時経営企画部長だった野島さんを訪ねた時には、「お客様の『安心』『満足』『感動』の実現」というＪＲ北海道の経営ビジョンについて語ってくれました。同じ交通研究室の出身者が、それぞれの役割において社会に貢献しようとしている姿を感じる一日となりました。

長唄演奏会

先週の土曜日に、長唄の演奏会を聴きに行きました。私の友人が一流の演奏家（唄い手）だそうで、彼の出演する演奏会に招待されたものです。昭和32年から続いていて今回が第２５０

回という伝統ある演奏会でした。長唄は歌舞伎の伴奏音楽として聴いたことはありましたが、長唄そのものの演奏会は初めてでしたので、とても新鮮でしたし、色々と勉強になりました。演奏は、唄と三味線と囃子（鼓と笛）で構成されていて、唄は複数の人が交互に唄ったり、一緒に唄ったりします。向かって一番右の人が「立《たて》」と言ってオーケストラのコンサートマスターのような役割の人で、友人はこの位置で唄っていました。全部で七つの演奏がありましたが、その中の一つだけは、唄い手が一人だけでした。後から聞くと、宮田哲男さんという人間国宝の方で、御歳80歳ということでしたが、声の通りは素晴らしく、とてもそんな高齢の方とは思えませんでした。

それぞれの演奏者には作法があって、それを観察するだけでも面白かったですね。まず唄ですが、唄う人は右膝の前で扇子を縦に持って唄います。唄わない時は、扇子は両膝の前に横に置いています。唄い手が扇子を持ち始めると「そろそろ唄うな」とわかるわけです。三味線は、演奏の途中で「二上り」「三下り」などへ調弦するのですが、演奏がとぎれることなく調弦しているのを見ると、これも技術だなぁと感心しました。三味線の基本の調子を「本調子」と言いますが、この言葉は私達も日常使っていますね。太鼓や笛を演奏する囃子の人は、演奏していない時は、両手を袴の中にしまっています。この所作は能からきた作法だということです。

サラリーマンだと60歳近くになると「そろそろ定年だ」という話になりますが、邦楽の世界では、60歳くらいが脂ののった年頃で、これから大いに活躍していく年代だそうで、友人曰く同世代の人から「定年」という言葉を聞くと違和感があるそうです。私の友人は、このような演奏会の他、歌舞伎の仕事、役者の襲名披露、海外公演などスケジュールがびっしり詰まっているそうですが、国内の一般的な仕事の場合は、「再来年の何月何日にお願いします」「はい、わかりました」という感じで個人的に仕事を引き受けるそうです。そこには、報酬がいくらだとかいう話は一切なくて正に信用だけの約束だそうです。邦楽の世界では、奥さんがマネージャーのような役割で、そのようなスケジュール管理をしているそうです。このような伝統芸能（異文化？）に触れることは視野が広がってとても面白いことだと感じました。

新年度と花見

新年度が始まりました。私達の部の使命は「国土の強靭化とエネルギーの安定供給に貢献すること」です。このことを肝に銘じるために、自分が担当している構造物が完成すると人々の暮らしにどのような便益をもたらすのか、できるだけ定量的に理解した上で仕事に取り組むことを心がけて下さい。自分達の技術力を発揮するためには仕事を受注しなければなりません。つまり、「仕事を受注すること」は、使命を果たすための手段であって、決して目的ではないことも理解して下さい。昨年度から手掛けていた複数の大型案件が今年度早々に契約できそうな状況になっています。契約後はいよいよ私達の技術力を発揮して、社会に貢献する出番ですから、プロフェッショナルとしてはりきって取り組みましょう。また、今年度は、設計技術グループが中心となって、私達の日本一の技術力を発揮して「国土の強靭化とエネルギーの安定供給に貢献する」ための新たな対外的な活動を開始します。これも今までの技術の研鑽があってこそ実現したものです。今年度も皆さんと共に「明るく楽しく」仕事をしていきますので、宜しくお願いします。

さて、一昨日は花見を満喫しました。まず、家の庭で満開になっている海棠、枝垂れ桃、雪柳を愛でてから、近所の高校の桜見物に行きました。その高校は高台に建っているのですが、その法面には二段、三段と100mほどにわたり桜の木が植えられていて、とても見応えがあります。地元の人しか知らない花見スポットなので、人込みもなくのんびりと桜を楽しむことができます。昼からは、中学の友人達8人で「目黒川桜祭り」に出かけました。恵比寿駅に集合して、ガーデンプレイス（私が小さい頃はサッポロビールの工場があり、その前の公園で遊んでいた場所です）を抜け、昔住んでいた目黒区三田界隈を散策しました。三田銀座と言われた商店街では、私が中学生の時に通っていた理髪店だけが残っていて、他の商店はなくなっていましたが、細い道は当時のままで、面影は感じることができました。母校の中学校は当時とあまり変わっていませんでしたが、子どもの数が減った影響で来年度からは隣の中学校と統合して校名が変わると聞き、寂しい限りです。その後、目黒川沿いの桜並木を目黒通りから中目黒にかけて鑑賞しました。桜並木は昔からありましたが、遊歩道ができたのは最近だそうで、桜祭りもまだ15年ほどの歴史しかありません。それでも目黒川に船を浮かべて花見をするツアーもでき、今では都内の花見の名所の一つになっているそうです。私達が出した提灯を確認した後、桜祭りの会場に行くと、地元に根付いている中学の同級生が祭りの世話役として働いていたので、ビールを片手にしばし歓談しました。そして、夜は目黒川沿いの店で昔話から時事問題まで幅広い話題に花を咲かせて盛り上がり、いい気分で花見の一日はお開きとなりました。

小中学校の同級生

先日、小学校の同窓会があり、広島県の呉まで日帰りで行ってきました。往復12時間かかる長旅でしたが、45年ぶりに会う友達も多くて、とても楽しく、行った甲斐がありました。皆見た目は、子どもから大人になってだいぶ変わっているのですが、顔のどこかに面影があり、それを見つけるのが面白かったですね。それと、子どもの時と声の質が変わっていないところがあります。共通の想い出話で盛り上がることも多いのですが、自分が忘れていたことを友達が思い出させてくれることもありました。「あんた天然パーマじゃったろう」とか、「レンガの塀の家じゃったね」とか言われると、そう言えばそうだったなと忘れていた当時のことを思い出しました。

小学校の同級生にM君という男の子がいました。彼は肢体が不自由で、お母さんが車いすを押して学校に通ってきていました。M君はよくしゃべれなかったので、テストのときは、一生懸命しゃべった言葉をお母さんが答案用紙に書き写していました。M君は車いす生活で表で遊べませんでしたから、私たち同級生は、よくM君の家へ行って遊んでいました。そのM君とお母さん、お姉さんもこのたびの同窓会へ来てくれました。M君は先日、今までの半生を振返って本を出版したということで、その本をざっと見せてもらいました。確か『明日を信じて』というタイトルだったと思いますが、率直な語り口で書かれていて、この本もお母さんが筆記したんだろうなと思いました。45年ぶりにお会いしたお母さんがしゃきっとされていたので「お久しぶりです。おばさんもお元気そうですね」と言ったら、「この子がいてくれたお蔭で、ここまで頑張ってこれました」とおっしゃいました。非常に重みのある言葉に触れて、感動しました。

小学校は2クラスあって、隣のクラスにも、身体が不自由なSさんという女の子がいました。片足が悪くて、うまく歩けず、しゃべるのもたどたどしい感じでした。そのSさんも今回の同窓会に山口県から来てくれました。彼女は、足が不自由なので松葉づえを突いていましたが、言葉はかなりしゃべれるようになっていました。Sさんは、結婚して子どももできて、当日は息子さんが車で周南市から呉まで送り迎えしてくれていました。話を聞いていると、それぞれの友達が様々な人生を歩んでいて、45年の歳月を感じる一日となりました。

さて、一昨日から昨日にかけては、中学校の同級生と鬼怒川温泉へ行き、龍王峡をハイキングしてきました。紅葉がきれいで清々しい自然を満喫することができました。こちらの友達も

45年来の親友たちですが、当時のあだ名で呼びあっていると何の違和感もなく中学校時代の延長線上で話ができるので不思議です。ただ、私のあだ名は今の私とは似ても似つかないかわいらしいものなので、傍で私たちの話を聞いている人には滑稽だろうなと思います。そんなことは意に介さず、わいわいしゃべって、これまた非常に楽しい時間を過ごすことができました。

　大学の同級生とは、仕事の関係もあってよく会うのですが、普段はなかなか会えない小中学校の友人と会うのも楽しいものです。同窓会などの行事には、自分が出席すれば、その分だけ話題も増えて、皆も喜んでくれるだろうと思って、できるだけ参加するようにしています。皆さんも私くらいの歳になると小中学校の友人が懐かしくなってくるのではないでしょうか。

本城先生と白木先生

　先週は、岐阜大学の本城勇介教授と香川大学の白木渡教授の最終講義を聴講してきました。お二人と初めてお会いしたのは、１９８７年６月にバンクーバーのブリティッシュコロンビア大学で開催されたＩＣＡＳＰという国際会議でした。それ以来、28年近くになりますが、主として学会活動を通じてご指導をいただいてまいりました。

　本城先生は、「地盤構造物の信頼性設計」の分野では、国際的にも第一人者です。今世紀初頭には、地盤工学会から『地盤コード21』を、また土木学会からは『性能設計概念に基づいた構造物設計コード作成のための原則（code PLATFORM ver.1.0）』を発刊するにあたり中心となって活躍された先生です。これらの基準は、設計基準作成者のための基準（code for code writer）であり、それ以降改訂される設計基準のベースとなっています。信頼性設計法に馴染みのある人なら、設計でOKになった構造物でも破壊する確率がゼロではないことを理解できます。さらに言えば、設計で設定した地震よりも小さい地震で破壊する確率もゼロではありません。したがって、構造物が破壊した時のことを考えて、破壊してもその被害があまり大きくならないように設計上の配慮が必要であるという考え方が受け入れられます。本城先生は、redundancy（冗長性）やrobustness（強靭性）を持った構造物の設計が重要であるということを、中西準子先生の『環境リスク論』にある次の言葉を引用して強調されました。「リスクには安全がない。リスク論とは、安全領域がない危険性とわれわれはどう付き合うかという科学である。リスク論には安全領域がないから、そこに逃げ込んで問題を解決することができない。リスクをどう管理するかという課題に、いつも直面することになる。」本城先生は、特任教授として引き続き岐阜大学に在籍され、専門書の執筆にも集中して取り組みたいと話しておられました。

白木先生も信頼性設計法の第一人者であり、リスクにどのように対処するかということについて、目覚ましい活躍をされている方です。日本は防災文化であり、欧米はリスクを考えた減災文化である点が大きく違い、日本にも危機管理の文化を作る必要があるとの強い思いから、2008年に香川大学に危機管理研究センターを設立して、危機管理に対応できる人づくりの活動を続けておられます。白木先生は同センターのセンター長として、防災士養成講座、四国防災・危機管理特別プログラム、建設業ＢＣＰ策定支援などの地域に根差した活動を推進しておられます。その活動は防災白書にも取り上げられ、内閣総理大臣賞や文部科学大臣賞を受賞されました。「まず四国で人材を養成して、それが認められれば、全国に展開されていくだろう」というお考えで、四国の産官学が連携して活動を続けています。防災士養成講座を受講して防災士の資格をとった方は７００名を超えます。最終講義の後の祝賀会の参加者には、地元の方々が多く、防災士の資格取得一期生の70歳を超えた方が、誇らしげに防災士のバッヂを見せて下さったのは印象的でした。祝賀会の後に、白木先生に誘われて、もう一軒行って、初めてバンクーバーでお会いした時にゴルフをしたこと、ダウンタウンのカラオケで歌ったことや、その後インスブルック大学で客員教授をされていた時にご家族でミュンヘンの我が家へ来て下さったことなどの想い出話から始まり、信頼性設計法に端を発して、今後のリスクへの対応に関する教育の方法などなど、２時間余りみっちりと語ることができました。

本城先生と白木先生が、ますます新しいことにチャレンジされるご様子を見て、私ももう一踏ん張りも二踏ん張りもして、世の中に貢献しなければならないと大きな刺激をいただいた二日間でした。

退任にあたって

会社の傍にある阪本公園の桜が満開になりました。桜の花は、３月の卒業式や４月の入学式などの節目の行事と重なった情景として、日本人の心情に深く結び付いています。先週は、設計部を離れる４人の方々の送別会を行いました。皆さんそれぞれ、新しい環境での活動が始まりますので、設計部での経験を活かして、心機一転伸び伸びと活躍していただきたいと思います。

私自身も、この3月をもって部長職を退任します。沢山の部員の皆さんと色々な仕事を一緒にすることができて、大変面白く充実した10年間でした。同じ部に所属していた同僚が、経験を積んで成長し、様々な場面で活躍している様子を見聞きすることはとても嬉しいことです。私は、４月からは部長の仕事から解放されるので、当社土木の設計部のプレゼンスを高めるために社外活動にもう少し力を入れるとともに、信頼性設計法に関する技術を設計部内に定着させるための仕事にも取り組んでいきたいと考えています。

部長職を退任しますので、このWeekly Mailも本日の№.４１７で終了します。８年半にわたって、ご愛読どうもありがとうございました。最終回ですので、Weekly Mailを配信することにしたきっかけについてお話ししたいと思います。まず、発信を始めた時期についてです。

それは、８年半前に「設計部」という名称がなくなり、「社会基盤統括部」という聞きなれない部署名に変わった時のことでした。その時多くの部員がとても落胆していたので、何とか部員の気持ちを少しでもポジティブにできる方策はないかと考えて思い付いたのが、Weekly Mailの配信でした。「変えなくてはいけないものを変えずに、変えてはいけないもの（『設計部』という名前）を変えてしまった」というのが当時の状況でした。もう一つのきっかけは、野田佳彦前首相が毎週配布している「かわら版」です。野田さんは、私の地元選出の代議士ですが、彼は20年以上前から週に1回「かわら版」を駅前で配布していて、先日もらったものが№９８９でしたから、もうすぐ１０００号です。20年も続けてWeeklyの「かわら版」を発信し続けるのは大変だと思うかもしれません。８年半しか続けていない私が言うのもなんですが、習慣にしてしまえば実は何の苦にもならなくなります。私は、日曜日の夕方17時頃から30分間でWeekly Mailを書くことに決めていました。Ａ４で1ページ、１５００字くらいの分量なので、書き始めたらすぐに書けます。何かを継続するということは、生活のリズムを作る上でも大事なことだと思っています。

Weekly Mailでは、仕事に直結すること以外の様々なことを書きました。私が大事だと思っていることは、表現を変えて繰り返し皆さんに伝えたつもりです。多くの方々から、ご意見をいただいたことも嬉しかったですね。また、私のWeekly Mailを転送していた方もいらしたようです。少しの方々でもいいから、Weekly Mailを読んで自分なりに何かを考えてもらえれば、発信した甲斐があったというものです。実は、Weekly Mailを発信すること、そしてその内容について最も大きな影響を受けた本がありました。その本については、ここでは明かしませんが、約2カ月後に発刊される『土木学会誌』6月号の「私の本棚」というコラムで紹介しますので、興味のある人は読んでみてください。

桜が満開となる今日、Weekly Mailを終了させていただきます。ご愛読ありがとうございました。

2015年3月30日

（付録）私の本棚

（『土木学会誌』２０１５年６月号）

10年ほど前、自部署のビジョンを定めたいと思い、経営コンサルタントが書いたビジョンに関する本を何冊か読んだ。しかし、どの本も内容はもっともだと納得できるが、机上の空論のような感じがして、私を動かしてはくれなかった。そんな時に本屋で見つけたのが、そのものずばり『ザ・ビジョン』というタイトルの本書である。少し立ち読みしてみると、今まで読んだ経営の本とは違って小説のような書きぶりだったので、興味をそそられて購入した。

この本は、主人公のケリーが、思いもよらない夫の浮気、離婚、そしてシングルマザーとして実社会に身を投じることになってから10年間に起こった出来事や考えたことを自伝的に語るストーリーとして構成されている。そのストーリーの中で、ビジョンの要素である「有意義な目的」、「明確な価値観」、「未来のイメージ」が、具体的に解きほぐされていく。保険会社に入社したケリーは、毎朝「みなさん、おはよう。ジムです。」で始まるメールを受信し、『誰からのメールだろう』と不思議に思っていたところ、ある日の早朝、会社の一室で出会った人物がこのメールの差出人であり、会社の社長のジム・カーペンターであることを知る。その出会い以来、ケリーとジムは早朝その会社の一室で、ビジョンやその要素について語り合うことになる。ビジョンの設定は、会社だけにとどまらず、家庭や自分自身にも及んでいく。物語の結末は控えさせていただくが、私はこの本に吸い込まれて、1時間ほどで読み終えた。そして、それまで曖昧模糊としていた自部署のビジョンを、はっきりとした言葉として定めることができた。

その時定めた自部署のビジョンは『一人ひとりがProfessional』というものであり、10年経った今でも私達の進むべき道筋を示してくれている。建設業の使命は『人々が安全に安心して生活や事業活動ができる環境を提供すること』と考えているが、この使命を全うするためには、私の部署の技術者のモチベーションを高めることが最も重要なことであると感じていた。そのために、部員各自がプロの技術者として誇りを持って国内外で活躍している姿をイメージできるビジョンが欲しかった。そのような状況の時に本書を読み、部署の仲間と話し合った末に『一人ひとりがProfessional』というビジョンに辿り着くことができた。

「ビジョンとは、自分は何者で、何をめざし、何を基準にして進んでいくのかを理解することである。」「『自分は何者か』を考えれば**目的**が明確になるし、『何をめざすか』を考えれば**未来のイメージ**が描ける。そして『何を基準にするか』を考えれば**価値観**の問題がはっきりする」

なるほど！　と思った。では、具体的に何をやるか？　そこで、私の部署では『プロ認定制度』というものを導入した。30歳以上の部員に専門分野を認定し、名刺に表示することにした。各自にプロフェッショナルとしての自覚を持って自己研鑽してもらうことが狙いである。そして、私はジムに倣ってメール・メッセージを週に1回配信することにした。メールの内容はジムと同様に、最近あった出来事について私が感じたこと、私が興味を持っていることなど種々雑多である。部員が少しでも視野を拡げ、自分で幅広いことを考えるプロの技術者になって、ビジョンを達成する一翼を担って欲しいと思い、8年以上一度も休むことなく配信を続けて400号を超えることとなった。本書に出会えたお蔭である。

【図書情報】

■名　称：ザ・ビジョン　―進むべき道は見えているか―
■著者名：ケン・ブランチャード＆ジェシー・ストーナー、田辺希久子訳
■出版社名：ダイヤモンド社
■発行日：2004年1月8日
■価　格：本体価格1400円＋税
■頁　数：215ページ

藤田　宗久（ふじた　むねひさ）

1957年生まれ。

1979年	東京大学工学部土木工学科卒業
1981年	東京大学工学系研究科修了
1981年	清水建設株式会社入社
1986～1989年	ミュンヘン工科大学建設工学科客員研究員
1991～1996年	中国石油（台湾）LNG地下タンク建設工事Engineering Manager
2000～2004年	台湾新幹線C291工区Design Manager
2005～2015年	土木事業本部設計部長
2015年～	土木技術本部設計部上席エンジニア

専門：信頼性設計、海外設計マネジメント
資格：Dr.-Ing.（ミュンヘン工科大学）
　　　土木学会特別上級技術者［設計］
　　　技術士（建設部門）

挿絵：藤田美希子

Weekly Mail
下巻

2021年4月20日　初版第1刷発行

著　　者　藤田宗久
発 行 者　中田典昭
発 行 所　東京図書出版
発行発売　株式会社 リフレ出版
〒113-0021　東京都文京区本駒込 3-10-4
電話 (03)3823-9171　FAX 0120-41-8080
印　　刷　株式会社 ブレイン

ISBN978-4-86641-389-1 C0095
Printed in Japan 2021